Scoil an Chnoic

Jacqueline de Brún

Jean-Baptiste Vendamme
ó Cartoon Saloon a rinne na léaráidí

 AN GÚM

Baile Átha Cliath

Foras na Gaeilge 2007

ISBN 978-1-85791-679-9

Arna chlóbhualadh in Éirinn ag Printset & Design Teo.

Le fáil ar an bpost uathu seo:

An Siopa Leabhar	nó	An Ceathrú Póilí
6 Sráid Fhearchair		Cultúrlann Mac Adam-Ó Fiaich
Baile Átha Cliath 2		216 Bóthar na bhFál
ansiopaleabhar@eircom.net		Béal Feirste BT12 6AH
		leabhair@an4-poili.com

Orduithe ó leabhardhíoltóirí chuig:
Áis
Sráid na bhFíníní
Baile Átha Cliath 2
eolas@forasnagaeilge.ie

An Gúm, 27 Sráid Fhreidric Thuaidh, Baile Átha Cliath 1

Caibidil 1

Scoil an Chnoic

Ní raibh sí cosúil le scoil ar bith eile sa mhéid is go raibh sí 1000 méadar os cionn thithe na ndaltaí a bhí ag freastal ar an scoil. Baile measartha beag a bhí i mBaile an Chnoic agus bhí an cnoc suntasach seo díreach i lár an bhaile. Ar bharr an chnoic a bhí Scoil an Chnoic. Bhí an scoil le feiceáil ó gach áit sa bhaile agus ar an dóigh chéanna bhí radharc iontach ón scoil ar an bhaile ar fad.

Mar is eol dúinn, bíonn an t-aer iontach tanaí ag barr cnoc agus sléibhte agus chuaigh seo i bhfeidhm go mór ar na daoine a chaith níos mó ama san áit ná mar ba chóir. Bhíodh sé ina throid go minic idir dochtúirí an bhaile, a dúirt nach raibh an scoil maith do shláinte na bpáistí, agus polaiteoirí an bhaile, a dúirt go mbeadh sé róchostasach scoil úr a thógáil. Ach sa bhliain 2006 bhí an chuma air sa deireadh go mbainfeadh na dochtúirí.

Tharla eachtraí sa bhliain seo a d'athraigh intinn gach duine a shíl go raibh an scoil ina rud maith. (Agus a chruthaigh gach rud a shíl na dochtúirí roimhe seo.)

Caibidil 2

AN SCOIL IS FEARR

Bhí Seán Ó Seáin 9 mbliana d'aois. Rugadh agus tógadh é (9 mbliana de thógáil go dtí seo) i mBaile an Chnoic. Ar ndóigh, dála gach páiste eile sa bhaile, bhí Seán ag freastal ar Scoil an Chnoic. Bhí saol iontach sona ag Seán go dtí seo, cé gur mhothaigh sé go raibh cúrsaí sa scoil rud beag aisteach, ach níor chuir seo isteach nó amach air nó bhí sé go hiomlán cleachta leis.

Anois, gasúr stuama go maith a bhí i Seán agus bhí intinn láidir aige. Ní raibh sé go hiontach ag an Mhata agus ní raibh sé sa ghrúpa is airde sa rang ach bhí intinn láidir aige agus tá sé sin ar an rud is tábhachtaí den iomlán.

Ar nós gach páiste eile i mBaile an Chnoic b'éigean do Sheán an teach a fhágáil gach maidin ar 7.30 le bheith sa scoil roimh a 9.00. Ní hé go raibh an turas fada ach bhí an bóthar chomh crochta sin go raibh rópa taobh leis agus go raibh ar na páistí

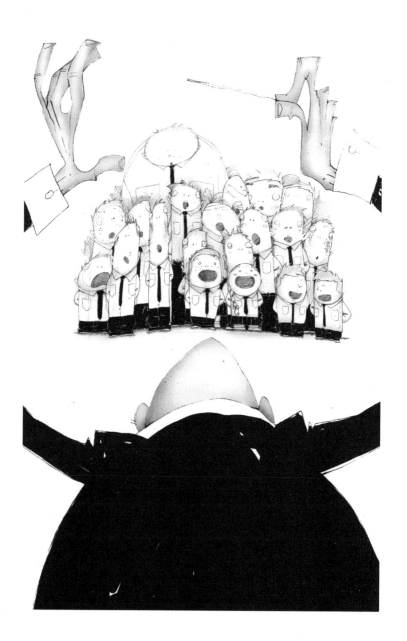

iad féin a tharraingt cuid mhaith den bhealach. Tríd is tríd, bhí an turas fadálach.

Thosaigh an lá ar an ghnáthdhóigh. Bhí na páistí cosúil le páistí i scoil ar bith agus na múinteoirí chomh normálta agus a thig le múinteoirí a bheith. (Taobh amuigh de chúpla duine acu nach raibh ar dhóigh ar bith normálta, ach tá barúil agam go mbíonn daoine mar sin i ngach scoil).

Bhíodh tionól sa halla gach maidin, áit ar cheol gach duine amhrán na scoile. Anois, tá daoine ann a chreideann gur maith an rud é aclaíocht a dhéanamh an chéad rud ar maidin, nó gur chóir bricfeasta mór a ithe leis an inchinn a spreagadh agus a mhúscailt; ach i Scoil an Chnoic chreid siad gur fearr i bhfad seasamh le chéile agus amhrán na scoile a cheol.

Chreid siad go spreagfadh sé bród agus dílseacht don scoil ach a mhalairt a bhí fíor. Bhí na páistí chomh dubh dóite den amhrán sin nár smaoinigh siad ar na focail ná ar an fhonn. Cheol siad é ar dhóigh chomh drogallach sin nach spreagfadh siad damhán alla le gréasán a dhéanamh agus é i seomra lán cuileog.

Ó Scoil an Chnoic, an scoil is fearr,
Ar gach aon dóigh, tá an scoil thar barr.

Tá oideachas den scoth ar fáil
Ar fud an domhain tá clú is cáil,
Ar na daltaí seo atá cliste cóir,
A fhágtar cách amuigh sa tóir.

Bhí a leagan féin den amhrán ag na deartháireacha Daltún agus Micí Mac Suibhne agus cheol siad amach os ard é. Cheol siad *Cad é atá cearr* in áit *An scoil is fearr*, cheol siad *Tá rud éigin cearr* in áit *Tá an scoil thar barr* agus ar ndóigh d'athraigh siad an focal *cách* go dtí…bhuel, tá a fhios agat féin. Níor thug na múinteoirí riamh faoi deara cé go raibh seitgháire le cluinstin ag tús gach bliana nuair a thosaigh rang nua ag bun na scoile. Ach bhí an chuid eile de na daltaí bréan de gach leagan den amhrán agus is méanfach den chuid is mó a dhéanadh siadsan.

An Luan a bhí ann, coicís roimh laethanta saoire an tsamhraidh. Bhí Seán Ó Seáin ag an tionól mar is gnách, giorra anála air i ndiaidh a thurais, nuair a fógraíodh den chéad uair é. An eachtra a d'athraigh gach rud.

Caibidil 3

PICTIÚR A GOIDEADH

Sheas an Bhlagaid ar an ardán agus a cheann faoi. Príomhoide na scoile a bhí sa Bhlagaid. Ar ndóigh níorbh é sin a ainm ceart. An tUasal Mac an tSionnaigh a bhí air ach níor tugadh sa scoil air ach an Bhlagaid, gan fhios dó féin ar ndóigh. Fear dian dáiríre a bhí sa Bhlagaid. Bhí eagla a gcraicinn ar dhaltaí Scoil an Chnoic roimhe. Ach an lá áirithe seo bhí cuma bhuartha air. Bhí sé ag amharc ó thaobh go taobh faoi mar go raibh sé ag dúil le duine éigin, nó rud éigin, ionsaí a dhéanamh air. D'éirigh na páistí agus na múinteoirí iontach corraitheach agus iad ag fanacht leis labhairt leo.

Thosaigh sé a chaint go mall ciúin, chóir a bheith i gcogar. Bhí ciúnas iomlán sa halla, seachas a ghlór féin, agus gach duine ag iarraidh a chuid focal a dhéanamh amach.

'Tharla rud éigin sa scoil ag deireadh na seachtaine agus ba mhaith liom sibh éisteacht liom go hiontach cúramach,' a thosaigh sé.

'Goideadh pictiúr a bhí ar crochadh i halla na scoile le chóir a bheith 100 bliain.'

Bhí monamar le cluinstin i measc dhaltaí agus mhúinteoirí na scoile. Thiontaigh gach duine thart le hamharc ar chúlbhalla an halla. Ceart go leor bhí cruth dronnuilleogach ann, áit a raibh an phéint ar dhath níos éadroime ná an chuid eile den bhalla. Ba léir go raibh rud éigin ar crochadh ansin le tamall fada de bhlianta ach ní raibh duine ar bith ábalta a rá cad é go díreach a bhí ann.

D'amharc gach duine ar ais ar an Bhlagaid ag dúil le míniú ar an scéal seo. Ní thiocfadh dó gur seo an rud a scanraigh an oiread sin é. Caithfidh sé go raibh rud éigin eile ann.

'An bhfuil tú ag rá gur briseadh isteach sa scoil?' arsa Bean Uí Leanaí, an múinteoir a theagasc an chéad bhliain sa scoil. 'An ndearnadh damáiste ar bith? Ar goideadh rud ar bith luachmhar?'

Bhí an chuma ar an Bhlagaid faoin am seo go raibh fonn air imeacht leis de rith as an áit ach d'fhan sé mar a raibh sé agus é ag amharc go fóill ó thaobh go taobh.

'Níor briseadh isteach,' a d'fhreagair sé, 'ach creid mé, rinneadh damáiste nach féidir a chóiriú agus is léir nach dtuigeann sibh an chiall atá leis an fhocal *luachmhar*!' Bhí fearg ina ghlór agus é ag bogadh thart go mífhoighneach. 'As seo amach beidh deireadh le himeachtaí i ndiaidh am scoile. Ba mhaith liom gach duine agaibh dul caol díreach abhaile i ndiaidh na scoile. Anois, ar ais chuig bhur seomraí ranga, tá oideachas le cur oraibh.'

I rith an ama seo bhí Seán Mac Seáin ag amharc thart ar gach duine eile sa halla. Ba mhúinteoir nua í Bean Uí Leanaí. Ba léir óna haghaidh nár thuig sí an scéal seo. Bhí an chuma chéanna ar na páistí. Ach scéal eile ar fad a bhí ann maidir leis na seanmhúinteoirí. Bhí cuma chomh scanraithe céanna orthusan agus a bhí ar an Bhlagaid. Cad é a bhí ar eolas acusan nach raibh ar eolas ag gach duine eile?

Caibidil 4

CNOCÁN DE CHNAPÁN?

D'amharc Seán ar Éimear a bhí ina seasamh taobh leis. Bhí a fhios aige nach sásódh rud ar bith í ach fáil amach láithreach bonn cad é a bhí ag dul ar aghaidh. Bhí Éimear ina cónaí béal dorais ag Seán. Shuíodh sí in aice leis sa rang agus seo arís í in aice leis nuair a bhris an scéal faoin phictiúr. D'oscail Seán a bhéal le labhairt léi ach rinne sí siosarnach íseal agus dhírigh a aird ar chúl an halla. Bhí triúr de sheanmhúinteoirí na scoile, an tUasal Mac Stua, Bean Uí Dhálaigh agus Bean Mhic Anna cruinnithe thart ar an dronuilleog agus iad ag cogarnach agus ag déanamh fuaimeanna uafáis. Theagasc beirt den triúr seo tuismitheoirí Sheáin nuair a bhí siad féin ar scoil, sin chomh sean leo. Agus ba iad seo an triúr a bhí ar intinn agam nuair a luaigh mé go raibh múinteoirí sa scoil seo nach raibh ar dhóigh ar bith normálta.

Go tobann mhothaigh Seán Éimear á tharraingt go deireadh na scuaine le bheith níos cóngaraí don triúr corr seo. Ba mhian léi an chogarnach a chluinstin, nó rud beag cúléisteachta a dhéanamh. I rith an ama seo bhí aghaidh Éimear dírithe go hiomlán ar an triúr. Níor dhúirt sí focal le Seán. Ach bhí aithne mhaith ag Seán uirthi agus bhí barúil mhaith aige cad é a bhí ar siúl aici.

'An bhfaca tú féin ar na mallaibh é?' arsa Bean Mhic Anna. 'Chonaic,' a d'fhreagair Mac Stua, 'ach níor chreid mise riamh na ráflaí sin.'

'Nár inis mé duit,' arsa Bean Uí Dhálaigh. 'M'athair mór féin a bhí ag obair anseo ag an am, agus maidir leis an mhí-ádh, bhuel…'

D'amharc na múinteoirí thart go faichilleach agus mhothaigh siad go raibh roinnt páistí ag éisteacht leo. Thug siad amharcanna rúnda dá chéile agus d'imigh siad leo, gach duine acu ag dul i dtreo difriúil.

Den chéad uair ó thosaigh an tionól d'amharc Éimear ar Sheán.

'Ar chuala tú sin?' ar sise. 'An gcreideann tú seo?'

Bhí foighne iomlán caillte ag Seán. 'An gcreidim gur baineadh pictiúr de bhalla agus go bhfuil an seandream seo ag déanamh cnocáin de chnapán mar is gnách? Is cinnte go bhfuil a mheabhair caillte ag an Bhlagaid anois.'

'Cnocán de chnapán? Ní seo an t-am do do chuid frásaí.'

Bhí sé de nós ag máthair Sheáin frásaí beaga a úsáid agus bhí an nós céanna ag Seán gan fhios dó féin. Chuir sé isteach ar Éimear a bhí i bhfách le caint dhíreach agus rudaí a rá chomh soiléir agus ab fhéidir. Ach duine fiosrach ba ea í agus ba mhian léi gach rud a thuiscint i gceart.

'Cad é a chiallaíonn sé, cibé?'

'Nuair a dhéanann siad amach gur cnoc mór atá i gcnapán beag, tá a fhios agat, cosúil leis an uair sin...'

'OK! OK! Tusa agus do chuid nathanna! Tá an scoil seo ag dul i bhfeidhm ort. Nach dtuigeann tú cad é atá ag tarlú? An seanscéal sin a d'inis m'athair mór dom, nach cuimhin leat? Nár inis mé duit?'

'Cad é? An scéal faoin seanfhear faire a bhí anseo blianta ó shin? Bhí dearmad déanta agam air sin. Do bharúil go bhfuil baint aigesean leis seo?'

'D'inis m'athair mór dom gur chuir sé rudaí i bhfolach sa scoil seo. B'fhéidir go bhfuil duine éigin i ndiaidh teacht ar rud éigin. Dá dtiocfadh liom cuimhneamh cad é an pictiúr a bhí crochta anseo.'

Caibidil 5

LA GIOCONDA

Is rud aisteach é go dtig le pictiúir a bheith ar bhalla leis na blianta agus go bhfuil daoine ann nach dtugann faoi deara iad. Bhí sin amhlaidh leis an phictiúr seo. D'amharc Seán agus Éimear ar a chéile ach ní raibh cuimhne ar bith acu ar an phictiúr a líon an spás sin go dtí deireadh na seachtaine. Cé gur sheas siad beirt sa halla seo gach maidin le sé bliana anuas níor mhothaigh siad é. Bhí pictiúir eile ar an bhalla agus bhí cuma measartha beag ar an spás seo i gcomparáid leo.

Le fírinne ní raibh suim ag Seán ná ag Éimear i seanphictiúir na scoile. Shíl siad go raibh barraíocht acu ann agus nach raibh spás ar bith ar na ballaí d'obair na bpáistí mar a bhí i scoileanna eile. Bhí an áit lán de phictiúir de bhláthanna, de mhná seanaimseartha agus d'áiteanna nár aithin duine ar bith. Cad chuige a ndearna sé an oiread sin de dhifear má bhí ceann acu ar iarraidh?

Stán Seán agus Éimear ar an chuid eile de na pictiúir a bhí thart ar an spás dronuilleogach. Den chéad uair riamh d'amharc siad go cúramach ar gach pictiúr.

Go tobann mhothaigh siad an ciúnas sa halla. Bhí an chuid eile de na páistí imithe ar ais chuig na ranganna agus níor tugadh faoi deara go raibh beirt ar iarraidh. Go dtí gur ligeadh béic a thug orthu beirt léim le hiontas. Bhí an Bhlagaid ina sheasamh ag barr an halla agus dath an bháis air.

'Nach bhfuil foghlaim ar bith le déanamh agaibhse inniu? Imígí chuig bhur ranganna, anois láithreach!' ar seisean.

Chaith Seán agus Éimear an lá sin caillte ina gcuid smaointe féin. Bhí an tUasal Mac Stua, múinteoir s'acu, mórán mar an gcéanna. Phléigh an bheirt chairde imeachtaí na maidine ag am lóin agus rinne siad socrú go rachadh siad chuig an leabharlann i ndiaidh na scoile ó tharla go raibh an cleachtadh peile ar ceal. Ach ba mhian le hÉimear fáil amach cén pictiúr a bhí ar iarraidh roimh imeacht.

'A Uasail Mhic Stua,' ar sise go soineanta ar cheathrú go dtí a trí agus a fhios aici go mbeadh spion níos fearr ar an mhúinteoir an t-am seo den lá.

'Cén pictiúr atá ar iarraidh sa halla?' Bhí tost iomlán sa seomra ranga. Bhí eagla ar dhuine ar bith eile an cheist sin a chur an lá ar fad.

Bhí an tUasal Mac Stua ag glanadh na deisce agus d'fhreagair sé gan smaoineamh, 'Cad é? *La Gioconda?*'

D'amharc sé suas agus cuma mhíshásta air gur oscail sé a bhéal ach bhí sé rómhall. Bhí an t-ainm aisteach seo scríofa ar chúl a leabhar obair bhaile ag Seán agus lig Éimear uirthi nach raibh suim ar bith aici sa fhreagra. Leis an fhírinne a dhéanamh níor thuig duine ar bith an freagra. Níor aithin duine ar bith an t-ainm agus mar sin ní raibh siad ar dhóigh ar bith níos eolaí faoin phictiúr a bhí ar iarraidh.

D'imigh an tUasal Mac Stua leis ag monamar agus ghlac na páistí leis go raibh cead acu dul abhaile cé nár bhuail an clog go fóill.

Caibidil 6

Páistí Fiosracha

Bhí Baile an Chnoic scoite go maith mar bhaile. Bhí na daoine féin seanaimseartha sa mhéid is nach raibh mórán ríomhairí sa bhaile agus bhí cuid mhór daoine ann nach raibh an teilifís féin acu. Cé go raibh réimse maith leabhar sa leabharlann, ní raibh mórán leabhar eolais ann.

Ní thagadh mórán cuairteoirí go Baile an Chnoic agus ní raibh teach lóistin nó teach ósta de chineál ar bith ann. Níor thaitin ceisteanna le muintir an bhaile. Bhí tionchar ag na rudaí seo ar fad ar pháistí Bhaile an Chnoic. Ní raibh na páistí fiosrach. Anois, tá a fhios againn ar fad gur rud nádúrtha ag páistí a bheith fiosrach ach ní raibh sin amhlaidh i mBaile an Chnoic. Mar sin, d'imigh na páistí an lá sin gan cheist, níor phléigh siad imeachtaí an lae lena dtuismitheoirí agus níor chuir siad suim ar bith sna focail *La Gioconda*. Is é sin, na páistí ar fad seachas beirt, Seán agus Éimear. Bhuel, Éimear go háirithe.

Iodálach a bhí i máthair Éimear agus níor tógadh i mBaile an Chnoic í. Chreid Seán gur sin an áit a bhfuair sí a cuid fiosrachta. Ach ab é Éimear bheadh Seán ar shiúl abhaile cosúil leis na páistí eile. Bhí eagla air cibé rún a bhí ag Baile an Chnoic agus ag Scoil an Chnoic a scaoileadh ach níor mhaith leis Éimear a ligean síos. Agus leis an fhírinne a dhéanamh bhí sé fiosrach ina chroí istigh. D'imigh an bheirt fiosrach seo leo mar sin i dtreo na leabharlainne agus iad ar bís le heolas a chuardach.

Caibidil 7

AN LEABHARLANN

'*La Gioconda,*' arsa Éimear ar an bhealach, 'sin Iodáilis nach ea? Theagasc mo mháthair rud beag dom ach ní aithním na focail sin.'

'Foclóirí....á...foclóir Iodáilise...D, E, F, G...L... *La*...ciallaíonn sin *an,*' arsa Seán agus é ag baint suilt as an fhiosrúchán seo.

'Anois GIOCONDA...D, E, F, G...*gioconda...* ciallaíonn sé *duine sona.* Fan, tá píosa eolais anseo ar *La Gioconda.* Is ainm eile é ar an *Mona Lisa!*'

'An *Mona Lisa?* An *Mona Lisa!* Is cuimhin liom mo mháthair ag caint ar an phictiúr sin. Bhí mise ag iarraidh smideadh s'aici a chaitheamh nuair a bhí mé níos óige agus luaigh sí an pictiúr seo de bhean dhóighiúil nár chaith smideadh nó seodra agus go raibh clú agus cáil ar an phictiúr seo agus...'

Stop Éimear go tobann nuair a mhothaigh sí an dóigh a raibh Seán ag amharc uirthi. Éimear agus smideadh, bean dhóighiúil, mhothaigh sé

míchompordach leis an chomhrá seo agus tháinig aiféaltas ar Éimear.

'Cibé,' ar sise. 'Pictiúr de bhean atá ann. Ní raibh a fhios agam go raibh an pictiúr sin ag cúl halla na scoile. Na pictiúir sa scoil sin! Tá a oiread sin acu ann nach dtugann tú ceann ar bith acu faoi deara. OK, ciclipéid?'

'Thall anseo,' arsa Seán. 'Tá leabhar iomlán ann ar an litir M. Is cinnte go mbeidh eolas éigin ann. MO, MON, MONA. A Éimear, tá an leathanach stróicthe den leabhar!' Stán Seán agus Éimear ar na píosaí páipéir a bhí ag gobadh amach as lár an leabhair.

'Bhuel, táimid cinnte anois gur sin an pictiúr atá ar iarraidh. Ach cad chuige ar baineadh an t-eolas den chiclipéid?' Bhí cuma bhuartha ar Sheán ach las súile Éimear,

'An ríomhaire,' ar sise, 'bainfimid triail as an idirlíon.'

Bhí ríomhaire amháin i leabharlann Bhaile an Chnoic ach níor baineadh mórán úsáide as. Máthair Éimear duine de na daoine is mó a d'úsáid é le ríomhphost a chur chuig a gaolta agus a cairde. Ní raibh úsáid ag mórán eile leis. Dúirt tuismitheoirí Sheáin leis gur drochrud amach is amach a bhí san idirlíon agus nach raibh a leithéid de dhíth ar dhaoine. Mar sin d'éirigh Seán rud beag buartha nuair a luaigh Éimear é. Ach ní raibh air a bhuaireamh a lua léi nó bhí fógra mór ar an ríomhaire inniu: BRISTE.

Mhothaigh an leabharlannaí daoine ag cur suime sa ríomhaire agus tháinig sé a fhad leo.

'Throid mise ar feadh trí bliana le ríomhaire a chur sa leabharlann seo. Níl ach beirt a úsáideann é, bean a thagann isteach le ríomhphost a chur agus an Dochtúir Ó Dálaigh. Agus anois isteach leis an bheirt agaibhse agus tá an diabhal rud briste. Tá duine ag teacht maidin amárach lena chóiriú. Má thagann sibh ar ais ag an am chéanna amárach ba chóir go mbeadh sé cóirithe. Tá fíorbhrón orm faoi seo. Cad é a bhí de dhíth oraibh cibé? Ní thiocfadh dó gur iarr na múinteoirí scoile oraibh eolas a chuardach don obair bhaile, ní tharlaíonn an cineál sin sa bhaile seo.'

Bhí fonn gáire ar Sheán agus ar Éimear. Ba léir nár nós leis an leabharlannaí labhairt le daoine eile nó chomh luath is a thosaigh sé a chaint bhí sé doiligh é a stopadh.

'Ó, eolas ar phictiúr a bhí de dhíth orainn,' arsa Éimear, go soineanta.

'Pictiúr, mmm, suimiúil,' arsa an leabharlannaí. 'Pictiúr ar bith go háirithe nó an rud ginearálta atá sibh a chuardach? Feicim go bhfuil ciclipéid an litir *M* agaibh ansin. Pictiúr a thosaíonn le *M* b'fhéidir. Mmm? *Maindilín* le Georges Braque? *Mrs Siddons* le Gainsborough?'

Caibidil 8

AR AIS SA BHAILE

'Mmm … feicim go bhfuil ciclipéid an litir *M* agaibh,' arsa Éimear agus í ag déanamh aithrise ar an leabharlannaí.

'Ag léamh barraíocht Sherlock Holmes atá sé,' arsa Seán ag gáire. 'Is maith an rud gur chuimhnigh tú go tobann go raibh ort imeacht abhaile go gasta. Beimid cráite aigesean amárach arís.'

Shiúil an bheirt abhaile go smaointeach. Bhí Seán ag smaoineamh ar a thuismitheoirí agus go mbeadh air a bheith ciúin faoi na himeachtaí seo. B'fhearr le tuismitheoirí Sheáin gach rud a choinneáil faoi rún. Níor mhaith leo rudaí a phlé go hoscailte agus is cinnte nár mhaith leo stair na scoile a phlé le Seán. Bhí Éimear ag smaoineamh ar a máthair agus go mb'fhéidir go mbeadh rud éigin ar eolas aicise. Bhí deifir mhór abhaile uirthi mar sin agus d'imigh sí suas cosán an tí de rith.

'Bí cúramach,' arsa Seán, a bhí níos cúramaí ná Éimear agus a thuig muintir an bhaile rud beag níos fearr.

'Fuair muid glaoch gutháin inniu ón Uasal Mac an tSionnaigh,' arsa máthair Sheáin leis chomh luath is a shiúil sé isteach an doras. Bhí an chuma uirthi go raibh sí ag fanacht air. 'Is cosúil gur tharla rud éigin inniu ar scoil agus gur dúradh libh dul caol díreach abhaile. Cad é a tharla ar scoil?'

Thuig Seán go raibh níos mó suime ag a mháthair sa rud a tharla ar scoil ná mar a bhí sa leithscéal a bheadh aige as a bheith mall ag teacht abhaile. Bhí sí ag stánadh air agus cuma an-bhuartha uirthi. Lean Seán air ag baint rudaí amach as a mhála scoile. Lig sé air nach raibh suim ar bith aige sna rudaí a tharla ar scoil. Mhothaigh sé gur chuir seo ar a suaimhneas í.

'Ó, rud éigin amaideach faoi dtaobh de phictiúr éigin,' a d'fhreagair sé ar nós cuma liom. 'Is cosúil gur baineadh pictiúr de bhalla agus rinne siad cnocán de chnapán mar is gnách. Cad é a bheidh againn le haghaidh dinnéir? Tá ocras an domhain orm.' D'amharc sé go gasta ar a mháthair. Bhí faoiseamh mór le feiceáil ar a haghaidh. D'imigh siad beirt isteach sa chistin le dinnéar a ullmhú.

Scéal eile a bhí ann tigh Éimear.

'Fuair mé glaoch gutháin inniu ón Uasal Mac an tSionnaigh,' a thosaigh máthair Éimear. 'Luaigh sé rud éigin faoi phictiúr a d'imigh de bhalla agus nuair a chuir mé ceist air cad é a bhí chomh práinneach faoi sin dúirt sé liom go raibh sé príobháideach. Cad é faoin spéir atá ag dul ar aghaidh sa scoil aisteach sin anois?'

'D'imigh pictiúr de bhalla,' arsa Éimear, 'agus tá an chuma ar chuid de na múinteoirí gur deireadh an domhain atá ann. Tá sé dochreidte. Ach sílim féin agus Seán go bhfuil rud éigin eile ag dul ar aghaidh agus go bhfuil sé ina rún mór acu. Tá muidne ag iarraidh fáil amach faoi.'

'Bhuel, beidh oraibh a bheith cúramach san áit seo. Tá daoine aisteacha sa bhaile seo, go háirithe thart ar an scoil sin. An bhfuil a fhios agat cén pictiúr a d'imigh? Tá a oiread sin acu ann is iontach gur thug siad faoi deara ar chor ar bith é.'

'Bhuel, luaigh Mac Stua *La Gioconda* agus fuair muid amach sa leabharlann gur ainm eile ar...'

'An *Mona Lisa*,' arsa máthair Éimear go brionglóideach. 'An pictiúr is deise liom ar domhan. Is cuimhin liom sin a fheiceáil ag cúl halla na scoile nuair a bhí mé ag an chruinniú sin. Ach bhí i bhfad barraíocht pictiúr eile thart air. Bhí sé chóir a bheith i bhfolach. Pictiúr galánta. Leonardo da Vinci, tá a fhios agat. Iodálach cosúil liom féin. Ar dhúirt tú go raibh tú sa leabharlann? Bhí mé féin ann inniu le mo chuid ríomhphost a chur ach bhí an diabhal ríomhaire sin briste arís. Gach uair a úsáideann an Doctúir Ó Dálaigh é…Sílim go ndéanann sé d'aon turas é! Cibé, dinnéar!'

Caibidil 9

PLEAN IONTACH

D'fhág Seán an teach arís ag 7.30 leis an turas a dhéanamh chun na scoile. Ní raibh iomrá ar bith ar Éimear. Is dócha go raibh sí mall arís. D'imigh sé leis ina aonar. Ba mhaith leis smaoineamh ar phlean leis an mhistéir seo a fhiosrú. Bhí uair go leith le siúl aige agus plean a cheapadh. Faoin am a tháinig Éimear isteach sa tionól bhí cuma ar Sheán go raibh gach rud beartaithe aige. Ach níor labhair sé le hÉimear go dtí go raibh amhrán na scoile thart.

'Nach iontach nach n-éiríonn na deartháireacha Daltún agus Micí Mac Suibhne dubh dóite den leagan sin den amhrán sin,' ar seisean le hÉimear a bhí caillte ina cuid smaointe féin.

'Mmm,' a d'fhreagair sí.

'Éist,' a lean Seán, 'caithfimid leithscéal a fháil le teacht amach as an rang inniu. Beidh orainn an scoil a chuardach.'

'Go díreach an plean a bhí agamsa,' arsa Éimear. 'Thiocfadh linn a rá le Mac Stua go bhfuil muid ag bailiú ainmneacha don fhoireann peile agus go mbeidh orainn dul ó rang go rang.'

'Iontach,' arsa Seán. 'Cuirfimid ceist air nuair a rachaimid ar ais chuig an rang.'

Bhí cuma iontach brionglóideach ar an Uasal Mac Stua inniu arís. Ní raibh aird s'aige ar rud ar bith agus nuair a chuir na páistí ceist air an dtiocfadh leo dul ó rang go rang le hainmneacha a bhailiú don fhoireann peile is ar éigean a chuala sé iad. Níor chuimhnigh sé go fiú go ndearnadh an rud céanna coicís roimhe ná gur cuireadh an cleachtadh peile ar ceal.

'Bhí an t-ádh dearg orainn ansin,' arsa Seán agus iad ag imeacht amach as an seomra ranga.

'Ádh dearg?' a cheistigh Éimear. 'An mbíonn ádh dearg? Cibé ar bith. Cá rachaimid ar dtús?'

'Bhuel, an cuimhin leat go ndúirt an Bhlagaid nár briseadh isteach sa scoil? Ciallaíonn sé sin go bhfuil an pictiúr áit éigin sa scoil. Ach cá háit? Ní bheadh sé sa phríomhoifig nó bíonn an Bhlagaid ansin gach lá. Bheadh a fhios aige faoi agus is léir nach bhfuil a fhios aige cá bhfuil an rud.'

'Cad é faoin chófra sin faoi ardán? Bíonn cuid mhór rudaí caite isteach ansin,' a mhol Éimear.

'Iontach, sin tús maith…' arsa Seán agus sula raibh faill aige an abairt a chríochnú d'fhógair Éimear, 'Tús maith leath na hoibre! Nach sin an rud a bhí tú ag dul a rá!'

D'imigh siad beirt i dtreo an ardáin ag coimheád nach raibh duine ar bith eile thart. Isteach leo sa chófra a bhí faoin ardán agus dhruid an doras ina ndiaidh sular chuir siad an solas ar obair.

Caibidil 10

AN RUAGAIRE

Bhí an cófra faoin ardán ina phraiseach ceart, mar a déarfadh Seán. Ní raibh sé ar dhóigh ar bith néata. Bhí seanéadaí ann ó dhráma na Nollag agus plandaí ollmhóra déanta as páipéar *maché* ón uair a rinne Rang 3 an dráma *Seán agus an Gas Pónairí*.

'Beimid an lá ar fad ag iarraidh teacht ar rud éigin anseo,' arsa Seán i gcogar.

'Ó, an mbeidh anois?' arsa glór ard fir taobh thiar dó. Léim Seán agus Éimear le huafás. Bhí an bheirt acu ar crith le heagla nuair a mhothaigh siad go raibh an Ruagaire ina sheasamh sa doras agus é ag stánadh go feargach orthu. Fear faire na scoile a bhí sa Ruagaire agus má bhí eagla ar na páistí roimh an Bhlagaid bhí an Ruagaire míle uair níos measa.

Iodálach a bhí sa Ruagaire chomh maith agus ar ndóigh níorbh é an Ruagaire a ainm. Bhí ainm Iodálach éigin air ach níor tugadh ach *An Ruagaire*

air de thairbhe go mbíodh sé i gcónaí ag cur an ruaig ar dhaoine.

Shíl na páistí gur chóir don Ruagaire a bheith i dteach na ngealt nó is cinnte nach raibh sé céad faoin chéad san inchinn. Ach ar chúis éigin ní dhearna tuismitheoirí ná múinteoirí riamh gearán faoi agus tugadh cead a chinn dó sa scoil.

Bhí Seán agus Éimear i ndrocháit. Bhí trí rogha i ndán dóibh. An chéad cheann go dtabharfadh an Ruagaire chuig oifig na Blagaide iad, an dara ceann go dtabharfadh sé chuig a oifig féin iad agus an tríú ceann go gcuirfeadh sé an doras faoi ghlas agus go bhfágfadh sé sa chófra iad. D'amharc Seán ar Éimear. Ba léir go raibh sí ag smaoineamh go gasta.

'Em, em… chuir an tUasal Mac Stua anseo muid le roinnt rudaí a fháil don dráma atáimid a dhéanamh sa rang,' ar sise.

'Thig leis an Uasal Mac Stua labhairt liomsa má tá rud éigin de dhíth air ón chófra seo,' arsa an Ruagaire go giorraisc. Mar ba dhual dá leasainm, chuir sé an ruaig orthu amach as an chófra agus i dtreo a ranga. Bhí a sáith iontais ar Sheán agus ar Éimear nó bhí dúil mhór ag an Ruagaire páistí a lochtadh agus cnocán a dhéanamh de chnapán. Ach ní sin mar a bhí an iarraidh seo agus sin an rud a spreag an bheirt a sheomra beag féin a chuardach.

'Tá cuma iontach amhrasach airsean, cad é do bharúil?' arsa Seán.

'Is cinnte go bhfuil. Cad é faoi sheomra s'aigesan a chuardach?'

Cé gur shíl Seán gur contúirteach ar fad é briseadh isteach i seomra an Ruagaire d'aontaigh sé go hiomlán le hÉimear. D'fhan siad gur imigh sé amach chuig an chlós cúil. Bhí a fhios acu go mbeadh sé amuigh ar a laghad uair a chloig nó go raibh nós aige siúl thart ar an chlós ag amharc ar na crainn agus ar na plandaí lena chinntiú nach ndearna páiste ar bith damáiste dóibh.

Chuaigh Seán agus Éimear isteach sa seomra go gasta ag coimheád thart lena chinntiú nach bhfacthas iad. Ní raibh Seán ná Éimear riamh sa seomra áirithe seo sa scoil. Níor shíl siad go raibh páiste ar bith sa scoil istigh ann riamh. Bhí an seomra níos cosúla le seomra cónaithe i dteach. Bhí cuma measartha compordach air mar sheomra agus rud a chuir iontas ar an bheirt, bhí sé iontach néata agus glan mar sheomra.

'Feicfimid má tá rud ar bith as áit anseo,' arsa Éimear. 'Beidh sé furasta é seo a chuardach.'

Chuardaigh siad an seomra ó bhun go barr. Ach ní raibh rud ar bith as áit. Bhí pictiúr mór amháin crochta ar an bhalla ag an Ruagaire. Pictiúr d'Íosa

agus na deisceabail a bhí ann agus iad ag an tábla mór don suipéar deireanach. Stán Seán agus Éimear ar an phictiúr. Den chéad uair bhí siad ag cur suime sna pictiúir ar bhallaí na scoile agus shíl siad go raibh an pictiúr áirithe seo go hiontach ar fad. Bhí grianghraf in aice leis an phictiúr mhór d'fhear a bhí rud beag cosúil leis an Ruagaire. Bhí an t-ainm Vincenzo Perugia, 1912, scríofa ag a bhun.

'Nach Leonardo Perugia an t-ainm ceart atá ar an Ruagaire? Caithfidh sé gurb in a athair mór,' arsa Seán.

'Perugia, an Ruagaire,' arsa Éimear, 'Ní raibh a fhios agam go raibh ainm eile aige. Sin an áit a bhfuair siad an Ruagaire mar sin.'

Chuimhnigh siad ansin cad chuige a raibh siad ann. Thiontaigh siad i dtreo an dorais agus díomá orthu nár tháinig siad ar rud ar bith. Ba ansin a mhothaigh Seán criongán faoina chos chlé faoi mar gur bhog clár adhmaid ar an urlár faoina mheáchan.

Caibidil 11

MONA LISA

Bhí ruga mór dearg ar an urlár agus ghlac sé an bheirt acu é a thógáil le chéile. Mhothaigh Seán an t-urlár faoi go gasta agus d'aimsigh sé an clár scaoilte. Bhí a mhéara tanaí go leor go dtiocfadh leis iad a bhrú isteach idir na cláir agus an ceann scaoilte a thógáil. Thíos faoi bhí cruth dronuilleogach clúdaithe i bpáipéar donn.

Chuaigh cúpla soicind thart sular bhog Seán ná Éimear ach gur stán siad beirt isteach sa pholl seo. Níor thuig siad an tábhacht a bhain leis an phictiúr seo agus mar sin níor thuig siad cad chuige a raibh a gcroí ina mbéal acu ag an bhomaite. Caithfidh sé go raibh draíocht éigin ag baint leis an phictiúr seo a chuir faoi gheasa iad, sin nó go raibh siad faoi thionchar an atmaisféir a bhí sa scoil faoi láthair. Ach is fíor a rá gur baineadh an anáil den bheirt nuair a mhothaigh siad an beart seo.

Ó tharla gur Seán a tháinig ar an chlár scoilte mhothaigh sé go raibh sé de cheart aigesean an beart a thógáil. Bhí sé measartha trom mar phictiúr agus b'éigean d'Éimear greim a fháil ar an choirnéal ab fhaide uaidh le cuidiú leis.

'Ní osclóimid anseo é,' arsa Éimear. 'Seo, cuidigh liom an clár agus an ruga a chur ar ais agus tabharfaimid linn é.'

'Ach cá rachaimid leis?' arsa Seán. Chuimhnigh Éimear go raibh siad go fóill sa scoil agus d'amharc sí thart go hamhrasach.

'Amharcfaimid anois air agus cuirfimid ar ais é, ní bheidh a fhios ag duine ar bith go raibh muid anseo. Ní bheidh an Ruagaire ar ais go fóill beag.' Sméid Éimear a ceann ag aontú leis agus thosaigh ar an bheart a oscailt go cúramach ag iarraidh gan páipéar ar bith a stróiceadh. Bhí an beart ceangailte le seansreang agus bhí sé furasta go leor a oscailt agus a dhruidim gan a bheith ag únfairt le téip.

'Seo í an *Mona Lisa*,' arsa Éimear ag suí siar le radharc maith a fháil ar an bhean seo gan smideadh gan seodra.

'*La Gioconda*,' arsa Seán, 'an duine sona. Níl sí iontach sona. Aisteach, níl go fiú aoibh an gháire uirthi.'

'Tá, leoga,' arsa Éimear ag iarraidh an pictiúr ab fhearr lena máthair a chosaint. 'Amharc ansin. Is cinnte go bhfuil sí sona. Cad chuige a bhfuil an aoibh bheag sin uirthi, do bharúil? Shílfeá go raibh rud éigin ar eolas aici nach bhfuil ar eolas againne.'

'Í féin agus múinteoirí na scoile seo agus b'fhéidir muintir an bhaile seo,' arsa Seán. 'Is cinnte go bhfuil rud éigin aisteach ag dul ar aghaidh.'

'Tá nóta anseo,' arsa Éimear agus thóg sí seanphíosa páipéir a raibh cuma chaite bhuí air. 'Ní thig liom é a léamh. I dteanga eile atá sé.'

'Tabhair leat an nóta. Déanfaimid iarracht é a léamh níos moille. Ach beidh orainn deifriú agus gach rud a chur ar ais sula dtiocfaidh an Ruagaire ar ais.'

Caibidil 12

EOLAS AR LÍNE

Ar ais sa seomra ranga ní raibh aird ar bith ag Seán ná ag Éimear ar na ceachtanna ach níor thug Mac Stua faoi deara agus é ag éirí chomh míshuaimhneach leis an Bhlagaid.

'An síleann tú go dtabharfadh do mháthair síob dúinn isteach chuig an Bhaile Mhór?' arsa Seán le hÉimear nuair a bhí siad ag siúl abhaile an tráthnóna sin. 'B'fhearr dul chuig an leabharlann ansin. Ní bheidh orainn gach rud a mhíniú don leabharlannaí fiosrach sin. Agus, cibé ar bith, tá i bhfad níos mó ríomhairí acu. Beimid ábalta dul ar an idirlíon gan stró.'

'Tá an ceart ar fad agaibh,' arsa máthair Éimear. 'B'fhearr i bhfad dul chuig an leabharlann mhór leis an eolas seo a chuardach. Tá an ríomhaire sa leabharlann anseo briste arís. An gcreideann sibh sin? Cóiríodh maidin inniu é agus tá sé briste arís cheana féin. Geallaim daoibh go raibh an dochtúir sin istigh arís.'

Ó tharla Baile an Chnoic a bheith chomh scoite sin ó bhailte eile bhí turas fada idir é agus an Baile Mór. Chuir Seán nóta gasta tríd an bhosca litreach chuig a mháthair féin agus d'imigh siad leo. Labhair máthair Éimear gan stad an turas ar fad ach is ar éigean a bhí aird na bpáistí uirthi ar chor ar bith. Ádhúil go leor bhí fógra ar dhoras na leabharlainne ag fógairt go mbeadh an leabharlann oscailte go dtí 9.00 p.m.

Isteach leo triúr agus d'aimsigh Seán agus Éimear ríomhaire láithreach. Bhuail siad isteach na focail MONA LISA agus tháinig liosta roghanna rompu ar an scáileán. Roghnaigh siad rogha i ndiaidh rogha agus scríobh Éimear nótaí ar phíosa páipéir de rud ar bith a shíl sí a bheith tábhachtach.

'Tá an pictiúr cúig chéad bliain d'aois… Leonardo da Vinci a phéinteáil… Phéinteáil sé é sna blianta 1503 go 1506… Tá an fíorphictiúr sa Louvre i bPáras… Tá sé chomh costasach sin nach féidir luach a chur air…' a lean Éimear agus í ag scríobh san am chéanna.

D'oscail Seán leathanach i ndiaidh leathanaigh ag iarraidh teacht ar rud éigin a mhíneodh cúrsaí sa scoil. Stop sé go tobann ag suíomh dar teideal

Mona Lisa Mania agus bhí fotheideal ann faoi éagóir a rinneadh. Stán sé féin agus Éimear ar an scáileán gan labhairt. Ansin rompu bhí pictiúr den fhear a bhí ar bhalla sheomra an Ruagaire, 'Vincenzo Perugia,' arsa an bheirt acu as béal a chéile. Lig Éimear don pheann titim amach as a lámh agus léigh an bheirt an t-eolas a bhí rompu.

'Bhí Vincenzo Perugia ina fhear oibre sa Louvre i 1911 agus ghoid sé an *Mona Lisa*. Ba mhian leis an pictiúr a thabhairt ar ais chun na hIodáile, áit ar péinteáladh é. Fuair an Louvre an pictiúr ar ais i 1913 nuair a rinne Perugia iarracht é a dhíol,' a léigh siad.

'An bhfuil tusa ag smaoineamh ar an rud a bhfuil mise ag smaoineamh air?' arsa Seán. 'Do bharúil?' a d'fhreagair Éimear. Bhí a fhios aici go maith cad é ar a raibh Seán ag smaoineamh.

'Bhuel, más sin athair mór an Ruagaire, agus má ghoid sé an pictiúr an t-am sin, agus má thug siad an ceann contráilte ar ais chuig an Louvre, is iomaí cóip atá déanta den *Mona Lisa*, agus má tá an fíorphictiúr...'

'An bhfaca sibh rud ar bith suimiúil?' arsa máthair Éimear. Thóg sí píosa páipéir den urlár agus d'amharc sí air. Ba léir nár thuig sí é. 'Tá píosa páipéir i ndiaidh titim amach as do phóca, a Éimear.

Tá mise ag dul suas staighre chuig na leabhair ealaíne, ní bheidh mé i bhfad.'

Níor fhan máthair Éimear ar fhreagra in am ar bith. Bhí i gcónaí deifir uirthi chuig an chéad rud eile, rud a bhí go maith sa chás seo nó ní raibh ar Sheán ná ar Éimear smaoineamh ar fhreagra. Chrom Éimear agus thóg sí an píosa páipéir a fuair siad sa bheart i seomra an Ruagaire.

'Do bharúil go bhfuil míniú éigin anseo?' ar sise le Seán.

'An Iodáilis atá ann?' arsa Seán. 'Ní aithním an teanga sin ar chor ar bith.'

'Níor aithin mo mháthair gur Iodáilis a bhí ann agus sílim go mbeadh a fhios aicise.'

D'fhág Éimear an píosa páipéir ar an tábla in aice le cás mór gloine. D'amharc siad arís ar scáileán an ríomhaire agus ar Vincenzo Perugia.

'An síleann tú mar sin, nár chuir siad an fíorphictiúr ar ais chuig an Louvre ach go raibh sé crochta i halla na scoile ó 1911?' arsa Seán i gcogar íseal. 'Tá sé doiligh a chreidbheáil, nach bhfuil? Nár aithin an Louvre an difear?'

'Sss!' arsa Éimear, 'Seo chugainn mo mháthair, an dtiocfadh linn na leathanaigh seo a phriontáil? Seo brúigh an cnaipe sin go gasta.'

'An bhfuil sibh chóir a bheith réidh?' arsa máthair Éimear. 'Tá turas fada ar ais againn. Ar thóg tú an píosa páipéir sin? Ó, amharc, feicim anois cad é atá i gceist. Tá mé róchliste agaibh, d'oibrigh mé amach bhur gcleas beag.'

D'amharc Seán agus Éimear ar an phíosa páipéir ach ní fhaca siadsan cibé rud a chonaic máthair Éimear. Bhí an scríbhneoireacht go fóill gan chiall.

'Amharcaigí sa ghloine. D'oibrigh mé amach é.' D'amharc Seán agus Éimear ar an phíosa páipéir frithchaite sa ghloine. Bhí sé cosúil le scáthán agus bhí an pheannaireacht níos cosúla le focail. D'aithin Éimear láithreach gur Iodáilis a bhí ann agus sula raibh faill aici sin a mhíniú do Sheán bhí a máthair ag léamh agus ag aistriú.

Léigh sí an t-iomlán in Iodáilis agus ansin d'aistrigh sí é do na páistí:

La Gioconda, nó an Mona Lisa le Leonardo da Vinci, 1503 – 1506. Iodálach a bhí in Leonardo da Vinci agus pictiúr de chuid na hIodáile atá sa Mona Lisa. Ba chóir í a thabhairt ar ais do na hIodálaigh. Ba chuige sin a ghlac mé an Mona Lisa i 1911. Ní rachaidh an Mona Lisa ar ais chun na Fraince. Bainigí sult as an phictiúr bréige atá crochta ansin ó shin. Go maire an fíorphictiúr i lámha na nIodálach go deo.

Vincenzo Perugia, 1913.

Thit máthair Éimear siar i gcathaoir a bhí in aice léi agus stán sí tamall fada ar an litir. Ansin d'amharc sí ar na páistí,

'An raibh a fhios agaibhse faoi seo?' a d'fhiafraigh sí i ndiaidh tamaill. 'Sin rud nach dtarlaíonn ar scoil gach lá. Ciallaíonn sé sin gur goideadh an fíor-*Mona Lisa* amach as halla na scoile. Bhuel, thiocfadh leis sin a bheith ar an taobh eile den domhan faoin am seo. B'fhéidir gur chóir dúinn seo a choinneáil ciúin.'

'Agus b'fhéidir go bhfuil tusa i do chónaí i mBaile an Chnoic rófhada,' arsa Éimear. 'Ní rud sláintiúil é rudaí a choinneáil ciúin. Tiocfaidh an fhírinne amach lá éigin agus b'fhéidir go gcuideoidh sé leis an bhaile seo an fhírinne a bheith amuigh.'

'Tá an ceart agat,' arsa a máthair. 'Tá na dochtúirí agus na polaiteoirí ag caint ar an scoil sin agus ar an bhaile seo a bheith míshláintiúil le rófhada agus b'fhéidir go mbaineann sé leis an rún seo. Tá mé cinnte go bhfuil mí-ádh ag baint le rún den chineál seo. Ach cad é a dhéanfaimid anois? An raibh plean agaibhse?'

Caibidil 13

AN STRAINSÉIR

D'amharc Seán agus Éimear ar a chéile. An plean a bhí acu go dtí seo ná fáil amach cad é a bhí ag dul ar aghaidh. Níor smaoinigh siad ar cad é a bhí siad ag dul a dhéanamh leis an eolas.

'Bhuel, is léir go bhfuil a fhios ag an Ruagaire faoi seo ar fad. Nach ina sheomra féin atá an pictiúr i bhfolach?' arsa Seán go faichilleach. Ní raibh sé róchinnte go fóill cad é ba chóir a insint do mháthair Éimear ach is dócha go raibh rudaí ag éirí ródháiríre agus go mbeadh ar dhuine fásta éigin cuidiú leo.

'An Ruagaire…? Ina sheomra…?' Bhí barraíocht eolais anseo do mháthair Éimear. Den chéad uair riamh fágadh ina tost í.

'Agus is léir go bhfuil a fhios ag cuid de na múinteoirí sa scoil, an Bhlagaid go háirithe,' arsa Éimear.

'An ligfidh siad dúinn an rún seo a scaoileadh?' arsa Seán. 'Choinnigh siad an rún an fad seo, níl

siad ag dul a bheith oscailte faoin rud seo thar oíche.'

'Tá an ceart agat,' arsa máthair Éimear sa deireadh. 'Beidh orainn a bheith cúramach leis an eolas seo. Seo, tosóimid ar an turas abhaile agus smaoineoimid air ar an bhealach.'

Isteach sa charr leis an triúr acu. Níor thug siad faoi deara go raibh fear taobh thiar de pháipéar nuachta ag éisteacht le gach focal a dúirt siad. Níor thug siad faoi deara ach oiread gur phriontáil na leathanaigh a bhí acu ón idirlíon agus gur thóg an fear céanna na leathanaigh den phrintéir. Níor chuimhnigh Seán ná Éimear ar na leathanaigh go dtí go raibh an carr ag tarraingt isteach chuig teach Éimear.

'Bhuel, ní thig linn dul ar ais,' arsa máthair Éimear nuair a d'inis siad di. 'Ní bheadh suim ag duine ar bith iontu cibé. Cuirfidh an leabharlannaí ar chúl an chuntair iad agus ní amharcfaidh duine ar bith orthu.'

Nach í a bhí contráilte. Bhí an-suim ag fear an pháipéir nuachta sna leathanaigh sin agus chuir sé isteach faoina chóta iad roimh imeacht dó agus an turas a dhéanamh é féin go Baile an Chnoic.

Caibidil 14

An Liosta

Dhruid máthair Éimear na cuirtíní. Shuigh an triúr acu thart ar thábla na cistine agus scríobh Seán liosta de na rudaí a bhí ar eolas acu:

1. *D'imigh pictiúr den Mona Lisa as Halla na Scoile.*
2. *Phéinteáil Leonardo da Vinci, Iodálach, an Mona Lisa.*
3. *Tháinig muid ar an phictiúr faoin urlár i seomra an Ruagaire.*
4. *Tháinig muid ar nóta a bhí scríofa i scríbhneoireacht scátháin agus in Iodáilis.*
5. *Ghoid Vincenzo Perugia an Mona Lisa i 1911. Fuarthas ar ais é i 1913.*
5. *Bhí pictiúr de Vincenzo Perugia ar bhalla an Ruagaire.*
6. *Ba é athair mór an Ruagaire é Vincenzo Perugia.*

'Tá cuma measartha soiléir ag teacht ar an scéal seo,' arsa máthair Éimear. 'Ghoid athair mór an

Ruagaire an pictiúr seo agus chuir sé i bhfolach sa scoil é ó bhí 1911 ann. Chuir sé pictiúr bréige chuig an Louvre. Tá duine éigin ag iarraidh díoltas a bhaint amach nó b'éigean an rún a scaoileadh agus ghoid siad an fíorphictiúr de halla na scoile.'

'Tá rud amháin nach dtuigimse,' arsa Seán. 'Ní thuigim cad chuige ar ghlac an Ruagaire an pictiúr den bhalla. Nár mhaith leisean rudaí a choinneáil mar a bhí siad? Is cinnte nár mhaith leisean aird a tharraingt ar an scéal seo.'

'B'fhéidir gur chóir dúinn an chuid sin den fhiosrúchán a fhágáil ag na Gardaí. Tá sé faoi am agatsa dul a luí, a Éimear. Beidh do mháthair ag éirí buartha fútsa, a Sheáin. Labharfaimid faoi dtaobh de arís amárach.'

D'oscail máthair Éimear an doras tosaigh. Ag an am céanna rith duine amach as an fhál agus suas an tsráid chuig carr, léim isteach ann agus thiomáin leis ar luas lasrach. Stán an triúr ina dhiaidh. Bhí an liosta a scríobh Seán fillte ina phóca aige agus chuimil sé go neirbhíseach é.

'Siúlfaidh mé leat chuig an teach, a Sheáin. Sílim go bhfuil rudaí ag éirí rud beag róchontúirteach,' arsa máthair Éimear. 'Labhróimid arís amárach ach sílim go bhfuil sé in am againn na Gardaí a thabhairt isteach sa scéal.'

Ar ais ina theach féin stán Seán ar an liosta. Bhí sé cinnte nár ghoid an Ruagaire an pictiúr. Ní bheadh ciall ar bith leis sin.

'Is fearr go mall ná go brách,' arsa máthair Sheáin nuair a mhothaigh sí go raibh sé ar ais. 'Tá sé mall, b'fhearr duitse dul a luí nó ní bheidh tú ábalta ag an turas chun na scoile maidin amárach. Tá a fhios agat cad é a deirimse gach maidin…'

'Tús maith leath na hoibre,' arsa Seán sula raibh faill aici é a rá arís.

***

Níor chodail Seán néal an oíche sin. Bhí sé ag dúil le dul ar scoil den chéad uair ina shaol. Ag dúil le níos mó fiosrúchán a dhéanamh ar an Ruagaire.

Caibidil 15

TURAS AN TRÍÚ LÁ

Thosaigh Seán amach ar a thuras chun na scoile ag an ghnáth-am. Bhí sé caillte ina chuid smaointe féin agus níor thug sé faoi deara go raibh na deartháireacha Daltún agus Micí Mac Suibhne chun tosaigh air agus iad ag geabaireacht leo le fear ard dorcha. Bhí an turas deacair ag an fhear agus choinnigh sé greim daingean ar an rópa i rith an ama agus é ag éisteacht leis na gasúir ag caint ar an Bhlagaid, ar an Uasal Mac Stua, ar an Ruagaire agus ar dhaoine eile ón scoil.

Go tobann chuala Seán duine éigin ag rá a ainm féin. D'amharc sé suas agus chonaic sé an ceathrar roimhe ar fad ag stánadh air.

'Seán Mac Seáin?' arsa na deartháireacha Daltún as béal a chéile. 'Sin ansin é.'

Stán Seán agus an fear ard dorcha ar a chéile roinnt bomaití. Ní fhaca Seán riamh roimhe é agus

bhí cuma thraochta air mar gheall ar an turas suas an cnoc.

'*Bonjour, monsieur,*' ar seisean le Seán agus shín sé amach a lámh lena croitheadh le lámh Sheáin. Baineadh siar as Seán. Francach!

'Tá mé ar mo bhealach go Scoil an Chnoic le fiosrúchán a dhéanamh faoin phictiúr a d'imigh. Bhí na gasúir eile anseo iontach cuidiúil. An bhfuil eolas ar bith agat féin?'

Bhí Seán go mór in amhras. Ní raibh a fhios aige ar chóir dó labhairt le duine ar bith. Cérbh é an duine seo? B'fhearr ligint air nach raibh rud ar bith ar eolas aige agus fáil amach ar dtús.

Go tobann tháinig Éimear de rith suas an cnoc ina ndiaidh. Fuair sí greim sciatháin ar Sheán agus tharraing léi é ar aghaidh i dtreo na scoile. Fágadh an Francach traochta ina ndiaidh.

'Nár chuala tú an nuacht ar an raidió ar maidin,' arsa Éimear agus iad beirt go fóill ag rith. 'D'imigh mé go luath,' a d'fhreagair Seán. 'Cad é a tharla?'

'Tá an Louvre ag déanamh scrúduithe ar an phictiúr den *Mona Lisa* atá acu. Is cosúil go bhfuair siad glaoch gutháin ó dhuine ag rá nach raibh an fíorphictiúr acu.'

'Bhuel, míníonn sin an cuairteoir atá againn inniu mar sin,' arsa Seán.

'Cén cuairteoir?' arsa Éimear. 'An fear sin ar an chosán thíos. Is Francach é. Bíodh geall gur ón Louvre a tháinig sé. Agus bhí a fhios aige m'ainm!'

Stad Éimear den rith agus d'amharc sí siar ar an fhear a bhí ag teacht suas an cosán go fadálach ina ndiaidh. D'imigh an dath dá haghaidh agus tháinig cuma bhuartha uirthi.

'Cad é atáimid ag dul a dhéanamh?' ar sise.

'Ní thig le duine ar bith a chruthú go bhfuil rud ar bith ar eolas againn. Fanfaimid ciúin agus feicfimid an dtig leis an Fhrancach eolas a fháil é féin,' arsa Seán go stuama.

Caibidil 16

FEAR AN LOUVRE

Thosaigh an tionól go mall an mhaidin sin. Dúirt na múinteoirí go raibh an tUasal Mac Stua ag caint le cuairteoir san oifig. Sa deireadh chuaigh an Bhlagaid suas ar an ardán. Bhí cuma níos measa anois air ná mar a bhí roimhe. Bhí an Francach ina sheasamh in aice leis agus i ndiaidh amhrán na scoile a cheol labhair an Bhlagaid:

'A pháistí, tá Bean Uí Dhálaigh tinn inniu.' Rinne na páistí seitgháire ciúin. Bhí Bean Uí Dhálaigh tinn go minic agus ba dhochtúir a bhí ina fear céile. 'Beidh ar rang s'aici fanacht taobh amuigh de m'oifig go socróimid rud éigin. Anois, tá cuairteoir linn inniu. Monsieur Le Brun an t-ainm atá air agus ba mhaith leis cúpla focal a rá.' Bhíodh an Bhlagaid ag stánadh ar an Uasal Mac Stua agus ar Bhean Mhic Anna agus é ag caint. D'amharc siadsan ar a chéile agus bhí an triúr acu ag amharc thart go hamhrasach. Mhothaigh Seán agus Éimear go raibh

an Ruagaire ina sheasamh sa doras agus iontas an domhain air.

'Bonjour, a pháistí,' a thosaigh an cuairteoir. 'Je suis…Tá mé anseo le fiosrúchán a dhéanamh faoi phictiúr a d'imigh den bhalla. Beidh mé ag dul thart ar na ranganna ag caint le daoine agus má tá eolas ar bith agaibh ba chóir é a insint dom. Tá mé ag obair sa Louvre i bPáras agus tá suim mhór agam i bpictiúir. Merci, beidh mé ag caint libh níos moille.'

Bhí driopás millteanach ar an Bhlagaid agus é ag stiúradh páistí chuig a seomraí ranga. Sa deireadh d'imigh sé ar ais ina oifig agus d'fhág sé ag na múinteoirí é.

'A leithéid d'amaidí,' arsa Bean Uí Leanaí nár thuig go fóill cad é a bhí ag dul ar aghaidh. 'Níor mhaith liomsa strainséir ar bith teacht isteach chuig mo rangsa ag cur eagla ar na páistí beaga.'

Nuair a chuala rang s'aici í ag rá an focal strainséir thosaigh siad ag rá 'Strainséir! Dainséar! Strainséir! Dainséar!' arís agus arís eile agus iad ag siúl ar ais chuig an rang.

'An síleann sibh gur ag foghlaim faoi strainséirí a bhí siad? Ní shílim go mbacfaidh an Francach le dul isteach chucusan!' arsa Micí Mac Suibhne agus é féin agus an chuid eile den rang sna trithí ag gáire.

Caibidil 17

AN STRAINSÉIR SA RANG

Go díreach roimh am sosa buaileadh cnag ar dhoras an tseomra ranga agus isteach leis an Fhrancach. Thosaigh na deartháireacha Daltún ag rá 'Strainséir! Dáinséar!' os íseal ach d'amharc Mac Stua chomh fíochmhar sin orthu gur stad siad láithreach.

'Bonjour mes amies,' arsa Fear an Louvre. 'Tá mé ag iarraidh eolais ar an phictiúr a d'imigh de bhalla halla na scoile.' D'amharc sé go dian ar Sheán agus ar Éimear nuair a labhair sé agus mhothaigh siad beirt iontach míchompordach.

Ach sular labhair duine ar bith eile focal rúid an Ruagaire isteach sa seomra le píosa páipéir ina lámh.

'A dhuine uasail, a dhuine uasail,' ar seisean. 'Bhí an nóta seo greamaithe den áit ar ghnách leis an phictiúr a bheith crochta. Ach ní thig liom bun nó barr a dhéanamh dó.'

Thug an Ruagaire an píosa páipéir don Fhrancach.

'Scríbhneoireacht scátháin!' a d'fhógair an Francach. 'Monsieur Mac Stua, an mbeadh scáthán sa seomra agat?'

Chuaigh an tUasal Mac Stua chuig cófra na heolaíochta áit a raibh na scátháin.

'A pháistí,' arsa an Francach. 'Tá mé cinnte go bhfuil a fhios agaibh gur phéinteáil Leonardo da Vinci an *Mona Lisa*.'

'An *Mona* cad é?' arsa Micí Mac Suibhne.

'Níor chlúdaigh muid an chuid sin den churaclam go fóill,' arsa an tUasal Mac Stua go gasta. 'Níl an cineál sin eolais de dhíth ar na páistí, tá siad rud beag ró-óg go fóill.'

D'éirigh an Francach míshásta.

'Ró-óg? Níl duine ar bith ró-óg le heolas a fháil. Nach bhfoghlaimíonn siad faoi na pictiúir ghalánta atá sa scoil seo? *Sacre Bleu!* Níor chuala mé a leithéid riamh!'

'Polasaí na scoile atá ann,' arsa an tUasal Mac Stua. 'Ach ó tharla gur thosaigh tú…' Sméid sé a cheann i dtreo an phíosa páipéir. Bhí gach duine ag iarraidh fáil amach cad é a bhí ann.

'*D'accord,*' arsa an Francach. 'D'imigh pictiúr den *Mona Lisa* de bhalla halla na scoile agus phéinteáil fear darbh ainm Leonardo da Vinci é. Iodálach a bhí i Leonardo da Vinci agus fear iontach cliste ar fad.' Níor chuala Seán ná Éimear rud ar bith nach raibh ar eolas acu go fóill ach bhí siad beirt ar bís le fáil amach faoin nóta.

'Bhí nós ag Leonardo da Vinci,' a lean an Francach, 'a chuid nótaí a scríobh i scríbhneoireacht scátháin. B'fhéidir le nach dtuigfeadh duine ar bith a chuid nótaí rúnda nó b'fhéidir cionn is gur scríobh sé lena lámh chlé agus nár mhaith leis dúch a fháil ar a lámh. Ar ndóigh ní thig linn ceist a chur air.'

'Cad chuige?' arsa duine de na deartháireacha Daltún. Bhí samhnas ar Sheán agus ar Éimear.

'Ó, *mon Dieu*, tá sé marbh le fada,' arsa an Francach agus iontas air faoin cheist amaideach seo.

Faoin am seo bhí an scáthán agus an nóta i seilbh an Fhrancaigh. Chuir sé an nóta in éadan an scátháin lena léamh. Bhí tost sa seomra.

Caibidil 18

AN RUAGAIRE INA RÓGAIRE

Nuair a thóg an Francach a cheann ba ar an Ruagaire a d'amharc sé. D'fhág sé síos an nóta agus an scáthán agus d'imigh sé leis de rith amach as an seomra ranga.

'Cad é a tharla?' a scairt an tUasal Mac Stua. Bhí an t-iontas céanna ar an Ruagaire agus rith siad beirt ina dhiaidh. Mhothaigh Seán go raibh an nóta agus an scáthán ina luí ar an tábla. Caithfidh sé go raibh Éimear ag smaoineamh ar an rud céanna agus rith an bheirt acu chuig an tábla lena léamh.

Tá an rud atá tú a chuardach faoi urlár sheomra Perugia.

Lean Seán agus Éimear an triúr eile síos chuig seomra an Ruagaire. Faoin am ar bhain siad an seomra amach bhí an Francach ar an urlár mar a bhí siad féin dhá lá ó shin, an beart ar a ghlúin aige, an páipéar bainte de agus é ag stánadh ar an *Mona*

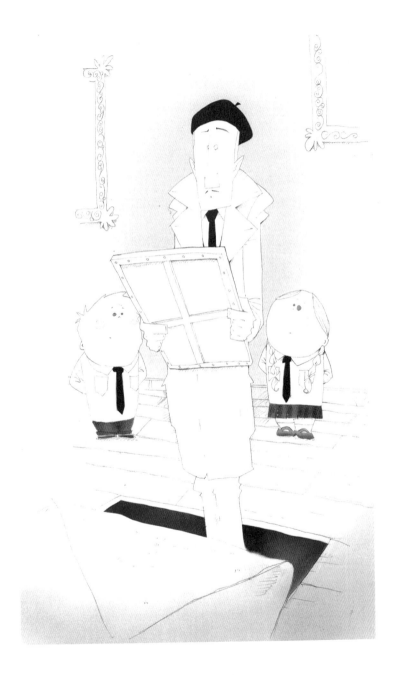

Lisa. Bhí cuma scafár ar an Ruagaire agus ar Mhac Stua agus iad ina seasamh in aice leis.

'C'est impossible, c'est impossible!' arsa an Francach arís agus arís eile. Bhí deora sna súile aige. D'amharc Seán agus Éimear ar a chéile.

'Ba chóir dúinn an nóta eile sin a thabhairt dó,' arsa Éimear i gcogar le Seán. Sméid Seán a cheann agus bhain sé an nóta amach as a phóca. Shín sé amach a lámh agus thug don Fhrancach é.

'Á, Seán agus Éimear, na bleachtairí. Bhí sibh chóir a bheith ann.' Bhain sé na leathanaigh a bhí acu ar an ríomhaire an lá roimhe amach as a phóca. Bhí iontas ar gach duine thart air.

Chuir an Francach an nóta eile in éadan scátháin a bhí ar an bhalla in aice leis an phictiúr de Vincenzo Perugia agus thuig sé an scéal láithreach.

Amach as a oifig leis an Bhlagaid agus tháinig dath an bháis air nuair a chonaic sé an radharc seo amach roimhe. D'amharc an Ruagaire agus an tUasal Mac Stua air faoi mar go raibh siad ag impí air an scéal seo a mhíniú ach ba léir nár thuig an Bhlagaid ach oiread.

'Cad é mar?... Cad é an dóigh?...Cé?' a thosaigh sé.

'Sílim go bhfuil sé go hiomlán soiléir,' arsa an Francach go feargach. 'I rith an ama seo ar fad bhí sibh ag déanamh ceap magaidh de dhaoine a tháinig ó gach cearn den domhan chuig an Louvre le hamharc ar *La Joconde*, an *Mona Lisa*.'

'Lig dom an scéal a mhíniú,' arsa an Bhlagaid agus crith ina ghlór. 'Le do thoil, lig dom labhairt sula scairtfidh tú ar na Gardaí.' Bhí a ghuthán póca i lámh an Fhrancaigh.

Caibidil 19

SCÉAL NA BLAGAIDE

Iontach go leor níor thug an Bhlagaid Seán ná Éimear faoi deara nuair a thosaigh sé ar a scéal agus chuala siad an t-iomlán léir.

'Mar atá a fhios agaibh goideadh an *Mona Lisa* sa bhliain 1911. Vincenzo Perugia, athair mór Leonardo Perugia, a ghoid agus thug sé ar ais chuig an Louvre é sa bhliain 1913.' D'amharc gach duine ar an Ruagaire agus d'éirigh sé iontach dearg san aghaidh.

'Bhuel, shíl gach duine gur tugadh ar ais é,' arsa an Bhlagaid ag leanúint den scéal. 'Ba phictiúr bréige a thug sé ar ais. Chreid sé féin gur chóir don *Mona Lisa* a bheith ag na hIodálaigh. Níor chreid sé nuair nár aithin duine ar bith sa Louvre gur pictiúr bréige a bhí ann. Ach d'fhan sé a shaol ar fad orthu teacht sa tóir air. Rud nár tharla. Fuair sé post go mall ina shaol sa scoil seo, Scoil an Chnoic, agus

choinnigh sé an *Mona Lisa* i bhfolach sna blianta
sin.

'Ar ndóigh ba san am sin a thosaigh drochrudaí
ag tarlú i Scoil an Chnoic. Bhíodh daoine tinn go
minic, páistí agus múinteoirí, agus fuair cúpla
múinteoir bás mar gheall ar thinnis nár thuig na
dochtúirí ag an am. Chreid muintir Bhaile an Chnoic
go raibh rud éigin cearr sa scoil agus tá a fhios
againn go mbíonn dochtúirí an bhaile ag iarraidh
an áit a dhruidim. Ach chreid, agus creideann

daoine go fóill, go raibh draíocht de chineál éigin ag Vincenzo Perugia. Cad é mar a bhuail sé bob chomh mór sin ar shaineolaithe an domhain? Dúirt Vincenzo Perugia ag an am go dtarlódh corr-dhrochrud sa scoil ach go mbeadh scéal i bhfad ní ba mheasa ann dá bhfaigheadh na húdaráis amach faoin phictiúr seo. Chuir sé an scoil agus muintir an bhaile seo faoi gheasa. Thug sé an scéal seo dá mhac agus thug a mhac é do mhac s'aigesean.'

D'amharc gach duine ar an Ruagaire agus stán sé ar ais orthu go muiníneach. Sa deireadh labhair sé:

'Níl mórán cuimhne agam ar m'athair mór ach is cuimhin liom gur fear iontach cumhachtach a bhí ann. Bhí meas ag gach duine air.'

'Meas?' a d'fhógair an Bhlagaid 'Ní hionann meas agus eagla! Scanraigh d'athair mór gach duine. Tromaíocht a bhí i gceist. Dúradh liomsa agus dúradh leis an phríomhoide a bhí anseo romham go mbeadh post sa scoil seo go deo do mhuintir Perugia agus go mbeadh orainn an rún seo a choinneáil lenár mbeatha féin agus beatha pháistí na scoile a shábháil. Ní bhaineann sé le meas ar chor ar bith!'

Ba léir go raibh an Bhlagaid ag iarraidh seo a rá leis an Ruagaire le fada an lá. Bhí a sháith iontais ar an Ruagaire. Thosaigh an Francach ag brú cnaipí ar a ghuthán póca agus labhair sé isteach ann go ciúin.

Shleamhnaigh Seán agus Éimear ar ais chuig an rang agus d'amharc siad amach ar an fhuinneog leis na páistí eile nuair a thosaigh na Gardaí ar an turas síos an cnoc leis an Ruagaire. Chonaic siad an Francach agus an Bhlagaid ag caint sa chlós agus d'imigh an Francach sa deireadh le beart dronuilleogach faoina ascaill aige.

Aisteach go leor ní raibh scéal ar bith faoin *Mona Lisa* ar an nuacht an oíche sin, ná an oíche ina dhiaidh, ná an oíche ina dhiaidh sin fiú. Ba léir go ndearnadh socrú an scéal seo a choinneáil ciúin agus an fíorphictiúr a chur ar ais i ngan fhios do dhaoine. An lá deireanach sa téarma bhí tionól speisialta ag Scoil an Chnoic. Ar ndóigh cheol siad amhrán na scoile agus ansin d'fhógair an Bhlagaid gur tháinig beart chuig an scoil ón Fhrainc. Beart dronuilleogach a bhí ann agus nuair a d'oscail siad é bhí pictiúr den *Mona Lisa* ann go díreach mar a gcéanna leis an cheann a bhí acu roimhe. Chomh maith leis sin bhí cóip bheag den phictiúr ann do gach páiste sa scoil agus scríofa ar chúl gach ceann acu bhí scríbhneoireacht scátháin a mhínigh an Bhlagaid dóibh:

Seo mo bheannacht leat féin,
Go n-éirí leat i ngar is i gcéin.

Ba léir go raibh an Francach ag iarraidh an gheis a bhriseadh agus den chéad uair riamh tháinig aoibh an gháire ar aghaidh na Blagaide. Bhí faoiseamh le feiceáil chomh maith ar aghaidheanna na seanmhúinteoirí.

'Thug an Francach sin ár bpictiúr ar ais dúinn,' arsa Micí Mac Suibhne.

Caibidil 20

IARSMALANN

Níor phléigh duine ar bith an scéal faoin *Mona Lisa* arís ina dhiaidh sin ach is cinnte gur athraigh muintir Bhaile an Chnoic. Tógadh scoil úr nua thíos i lár an bhaile agus rinneadh iarsmalann ealaíne den tseanscoil. Shíl máthair Éimear gur tharla an rud is fearr nuair nár fógraíodh an scéal sin don domhan agus d'aontaigh Seán agus Éimear léi.

'Is binn béal ina thost,' arsa Seán, ach go fóill bhí sé in amhras faoin deireadh a tháinig ar an scéal. Níor chreid sé riamh gur scríobh an Ruagaire an nóta sin. Agus bhí barraíocht eagla ar an Bhlagaid agus ar mhúinteoirí na scoile a leithéid a dhéanamh.

'Ar chuala sibh faoi Bhean Uí Dhálaigh?' arsa máthair Éimear lá agus Seán i dteach Éimear ag déanamh obair bhaile. 'An múinteoir ar ghnách léi teagasc sa tseanscoil? Bean an Dochtúra?'

'Cad é fúithi?' arsa Seán.

'Bhí sise tinn,' arsa Éimear, 'agus níor tháinig sí riamh ar ais.'

'Bhuel, beidh suim agaibhse sa scéal seo,' a lean máthair Éimear. 'Bhí mé ag caint lena fear céile inné, tá a fhios agaibh, an dochtúir sin a bhriseann an ríomhaire i gcónaí. Bhuel, bhí sé ag insint dom gur Scoil an Chnoic a rinne tinn í agus gur chuidigh sé féin le druidim na scoile le cuidiú léi.'

'Cad é?' arsa Seán agus Éimear as béal a chéile. Bhí siad beirt ag stánadh ar mháthair Éimear.

'Dúirt sé liom gur chuir sé pictiúr i bhfolach i seomra an fhir faire agus gur scríobh sé nóta beag. Agus bhí a fhios agamsa na hamanna sin gur bhris sé an ríomhaire sin d'aon turas. Sílim go bhfuil an fear rud beag ar mire. Ach tá a bhean san otharlann, is dócha go bhfuil an fear bocht faoi bhrú. Deir sé go mbeidh biseach uirthi de thairbhe gur druideadh an scoil. Cad é bhur mbarúil de sin?'

'Bhuel, sin an míniú a bhí ar iarraidh,' arsa Seán. 'Bhí barúil agam go raibh lámh ag duine éigin eile sna heachtraí seo.'

'Ba chóir don bheirt agaibhse an scéal seo a scríobh,' arsa máthair Éimear. 'Ní minic a tharlaíonn eachtraí mar seo do dhaoine. Agus ní scéal rúin é ó chluineann triúr é.'

Blasts Off!

Lincoln Peirce

HarperCollins *Children's Books*

To David and Phoebe, my champions

CHAPTER 1

You know what's awesome? Social studies.

Yup, you heard me. Social studies is officially the highlight of my day. I like it better than English. And science. And maths. I even like it better than ART, which is really saying something. . .

...SINCE I HAPPEN TO BE **NATE WRIGHT**, *ARTISTIC* **GENIUS !**

You're probably thinking: Wait a minute. Hasn't social studies always been a king-size zit on the forehead of life? (Answer: Duh.) So how come it's suddenly jumped to the top of my hot list?

Well, it's NOT because I've magically morphed into a butt-kissing toady like Gina. . .

Even though you didn't **TELL** us to, I read chapter six and answered **ALL** the review questions!

Here! Have some homemade **FUDGE!**

I haven't become a factoid freak like Francis, either.

And it's not like the teaching's got any better.

So what's different? Simple answer:

Since dinosaurs roamed the earth, Gina's sat behind me in social studies. I can't prove this, but I'm pretty sure it's Mrs Godfrey's secret plan for keeping tabs on yours truly.

(It's also given me a nervous twitch, thanks to Gina's psychotic auto-response every time Mrs Godfrey asks a question. But I digress.)

The point is, Gina's a pain in my backside. So when ol' Dragon Breath decided it was time to shake up the seating arrangements last week, I was totally into it. It couldn't get any worse, right?

WAY right. She moved Gina to the smelliest spot in the room. Welcome to "Death Valley," Needle Nose.

And me? I get to sit in front of Ruby Dinsmore.

I don't know her very well yet, but she seems really nice. She's cute, too. And, best of all, she doesn't go round sucking up to teachers and sticking her report card in your face like Princess Know-It-All.

Gina out, Ruby in. Talk about an upgrade. THAT'S why social studies rocks lately.

"Yeah, I did, too," I say, flipping open my notebook. "Let me find it, and I'll . . . I'll . . . um. . ."

"This? Oh, just a comic book I made," I tell her.

"Really? Can I read it?" Ruby asks.

I hesitate. "It's not . . . I mean, I haven't quite finished it yet, so. . ."

6

But it IS done. I was just trying to avoid showing it to her, because . . . well, I'll tell you in a minute.

Ruby giggles as she hands back my comic book. "I LIKE it!" she whispers. "And I think I recognise some of these characters!"

OK . . . but WHICH characters? See, that's why I sort of didn't want her to read it:

It's not supposed to be realistic or anything; it's just a comic.

But I wouldn't want her to think that I'm, you know, sitting around waiting for her to put a lip-lock on me. Because I'm not. I could have drawn ANYBODY in that last panel. The fact that I drew HER is totally . . . um. . .

Mrs Godfrey looms over me, nostrils flaring. How does she DO it? The woman's the size of a woolly mammoth on an all-lard diet, but I never hear her coming. She just . . . APPEARS.

"What have you got there?" she demands, peering suspiciously at my comic book. (Quick observation: This isn't going to end well.)

"N-nothing," I stammer, trying to stuff it back into my binder. "Just a project for another class."

Insulting? Excuse me, I just wrote a six-page masterpiece starring HER. You'd think she'd be flattered. But no. She's reaching for her little pink pad. Detention, here I come. Go ahead and stare, everybody. I know you want to.

With one beefy hand, Mrs Godfrey slams a detention slip down on my desk. "Take this to Mrs Czerwicki after school," she growls.

Great. It'll be so much fun hanging out with Mrs Czerwicki again. I haven't seen her since . . . when was it? Oh, yeah:

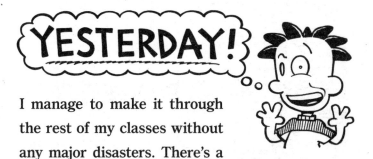

I manage to make it through the rest of my classes without any major disasters. There's a close call in art involving a tube of sky-blue paint, a swivel chair, and Mr Rosa's pants. Plus, science is a nightmare, because my partner for the lab report is Kim Cressly.

But finally, the bell rings. School's over – for MOST people. I'VE still got an hour to go, thanks to Mrs Godfrey's total lack of a sense of humour.

I trudge into the detention room, praying that Mrs Czerwicki's not in one of her complainy moods. The other day, she yakked for forty-five minutes about her varicose veins (whatever those are), and then—

Hey!

CHAPTER 2

Gina – of all people – is standing next to Mrs Czerwicki's desk. She gives me one of her I'm-better-than-you-are smirks.

Well, let's see. Queen Perfectia has only gotten one detention in her life (for going ballistic in the library – long story), so I doubt she's in any kind of trouble. And sucking up to the detention lady won't score her any precious brownie points. Frankly, I have no clue why she's here.

P.S. 38 TRIVIA! The only person **EVER** to send Gina to detention is the librarian, *MRS HICKSON!*

Our hero!

"I've got better things to do than try reading your mind, Gina," I snarl.

She nods. "That's probably just as well . . ."

...SINCE MY MIND IS SO FAR **ABOVE** YOUR READING LEVEL! *SNICKER!*

"Your mind's too SMALL for me to read," I snap.

"That's enough, you two," Mrs Czerwicki says. "Nate, give me your detention slip."

Correction: I did NOT draw it in class. I just happened to have it WITH me in class. If Mrs Godfrey's going to stick me in solitary. . .

". . . and spend the next hour THINKING about what you've done!"

Right. That's what she always says. I guess she's hoping something like THIS will happen:

Gross. Let's stop there. Even DRAWING myself hugging it out with ol' Butter Butt would be enough to make me lose my lunch.

Anyway, see what I'm getting at about detention? Adults think it teaches kids all these magical "life lessons," but it just doesn't work that way.

Aaaand away she goes. For someone who's always telling the rest of us not to talk, Mrs Czerwicki sure can flap her gums. She yaks nonstop until my ears practically start bleeding. Then. . .

"Readers?" I repeat after Gina slithers out of the room. "What's she talking about?"

Mrs Czerwicki beams. "Gina is writing a profile of me for the next edition of the *Weekly Bugle*!"

Whoops. Didn't mean to sound like I was dissing the *Bugle* there. But, hey, the *Bugle* DESERVES to be dissed. I'll tell you why in a sec. Right now, I've got more important things to take care of.

Ouch. Was that really necessary? I'll admit I get my share of detentions, but it's not like it happens every single day. It's more like two times a week. Or three.

OR... UMMMM... TWELVE.

Never mind. Let's get back to the *Weekly Bugle*. That's the school newspaper, and it's bad.

Not FUNNY bad, like that book Ms Clarke made us read about the girl raised by dolphins who grew up to become a marine biologist. Just plain old BAD bad. The *Weekly Bugle* has issues.

ISSUE #1: **IT'S BORING.** We all know that schools aren't the most exciting places on earth, but is that any excuse for headlines like these?

NO CHANGES PLANNED TO LUNCH MENU	**TOILET IN BOYS' BATHROOM STILL BROKEN**
MR GALVIN "THINKING OF SWITCHING FROM BELT TO BRACES"	**COMPUTER LAB TO GET NEW WASTEBASKET**
BOTTLE RECYCLING WILL BEGIN SOON	**MATHS TEAM WINS 3RD PLACE IN TRI-SCHOOL COMPETITION**
STUDENT COUNCIL POSTPONES MEETING AGAIN	**STUDENT SURVEY: WHAT'S YOUR FAVOURITE COLOUR**

Note to the *Weekly Bugle* staff: Headlines are supposed to GRAB you, not put you in a coma. If I were in charge, here's what those same headlines would look like:

LUNCH STINKS!
STUDENTS' LIVES
AT RISK

TIDAL WAVE OF
RAW SEWAGE!
KIDS TO SCHOOL:
STOP "STALL"-ING!

MR GALVIN ENTERS
"FALLING PANTS" ZONE;
SANITY QUESTIONED

GARBAGE PILING UP
IN COMPUTER LAB!
VERMIN ON RAMPAGE!

BOTTLE RECYCLING:
NOBODY CARES

IT DOESN'T ADD UP:
MATHS NERDS FINISH LAST

STUDENT COUNCIL
EARNS REPUTATION
AS DO-NOTHING
LOSERS

EXCLUSIVE: WHY DOES
BUGLE KEEP RUNNING
LAME STUDENT SURVEYS?

***ISSUE #2:* IT DOESN'T HAVE ANY COMICS.** Or a horoscope, a crossword puzzle, or one of those columns where people write in for advice about how to spice up their putrid marriages. The only attempt to add anything entertaining to the *Bugle* was last month when Maura Flaherty put THIS in:

RIDDLE TIME!!   **By MAURA**

Uh, nice try, Maura. Your "raindrops" look like an invasion of mutant onions. Plus, you're not funny. Want to see how to crack people up? Watch how a REAL cartoonist does it:

By the way, the *Bugle* USED to include my comics. Then a few whiners complained that Dr Cesspool performing a tonsillectomy with a chain saw was too violent. That was the end of my newspaper career.

ISSUE #3: **THE NAME MAKES NO SENSE.** Here's how Chad put it the other day:

> WHY DO THEY CALL IT THE *WEEKLY* BUGLE WHEN IT ONLY COMES OUT ONCE A MONTH?

Exactly. It's so dopey. Maybe they should change the spelling and start calling it the *WEAKLY Bugle*. All I know is . . .

...THE SCHOOL PAPER NEEDS A **MAKEOVER!**

THERE YOU ARE!

HOW WAS DETENTION?

I roll my eyes. "Oh, it was FANTASTIC."

"Imagine Mrs Czerwicki in a hot tub!" Francis chuckles.

Teddy winces. "Do I have to?"

"What are you guys still doing here?" I ask.

"The Mud Bowl's a long way off," I point out.

"It's never too early to start training!" Teddy answers.

"Hold on, we shouldn't throw a Frisbee inside the building," Francis clucks nervously.

Oh, brother. He can be such a drip. "Stop worrying," I insist. "Nobody'll see us."

With a flick of his wrist, Teddy floats the Frisbee down the corridor. I go charging after it.

I'm at turbo speed, a few feet away from making a highlight reel, top-ten-plays-of-the-century grab, when a door swings open right in front of me.

In an instant, two things are clear: First, I was wrong when I said everyone's gone home. And second, I can't stop.

WHAT ARE YOU DOING, YOU LITTLE TURD?

My vision's a little blurry right now – high-speed collisions have that effect on me – but I recognise that voice. It's Randy Betancourt, winner of P.S. 38's "most likely to mop the floor with someone else's face" award. He grabs a fistful of my shirt and yanks me to my feet.

Wow. If I live through this, today's going straight to the top of my "Worst Days Ever" list. Not only is Randy about to break me in half (or another, even smaller fraction). . .

CHAPTER 3

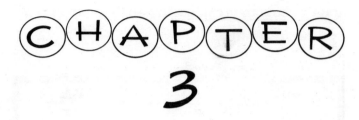

All of a sudden, something weird happens. Randy goes from meathead to marshmallow.

"I'm OK . . . ," Ruby answers, looking a little puzzled. "What are you guys doing?"

"Messing around" is one way of putting it. Here's another: HE'S TRYING TO KILL ME.

"Anyway, um, I should probably take off," Randy sputters. Then – and don't say you predicted this, because you didn't – he LETS ME GO!

He doesn't say what kind of stuff, but who cares? If it doesn't involve me losing massive amounts of blood, I'm all for it.

As Randy disappears around the corner, I breathe a huge sigh of relief.

Ruby sort of . . . hesitates. I think she's waiting for me to say something. But this feels different from talking to her in class. This is REAL. I rack my brain for some sort of clever response. Come on, Nate. YOU CAN DO THIS!

Or maybe you CAN'T do this. Nice going, dipwad. Smooth as a sack of sandpaper.

I feel my cheeks getting warm. "Whaddaya mean?"

"Randy!" Teddy answers. "I was sure he was about to PULVERISE you!"

"Yeah," Francis chimes in.

"He might have thought Ruby would get him into trouble," Teddy suggests. "You know, tell a teacher or something."

Francis is sceptical. "But would that have made him act so un-Randy-like? I doubt it."

Dee Dee appears, looking at the three of us in her boys-are-dumber-than-dirt way.

"Where'd YOU come from?" Teddy asks.

"A great actress never reveals her secrets," she announces. Oh, brother. Did I mention that Dee Dee is the president of the Drama Club?

"I suppose you clowns need me to explain what's going on," she says with a sigh.

Awkward silence. That means yes.

WELL, THE **FIRST** THING YOU NEED TO UNDERSTAND IS THAT RANDY HAS A **HUGE CRUSH** ON RUBY!

WHAT?

WHAT?

My stomach does a lurch. Randy likes Ruby?

THAT'S JUST... **WRONG!**

SO **OBVIOUSLY**, HE CARES WHAT SHE **THINKS** OF HIM!

"Here's MY theory of what happened," Dee Dee goes on. "Randy was about to turn Nate into tofu. . . ."

"He didn't want her to see him acting like a bully! THAT'S why he pretended that he and Nate were just having FUN!"

"Some fun," I grumble.

"Because sometimes," Dee Dee tells us, "boys get flustered when they try to speak to girls!"

I don't answer. Dee Dee obviously saw my epic fail with Ruby back there. Maybe she even suspects that Randy's not the ONLY one with a crush on her. But I'm not ready to go public just yet. It's a secret.

Great. Blabby McBlabb strikes again. Way to broadcast my private life, Dee Dee. What's next, hanging my underwear on the school flagpole?

Anyway, this is big news to Francis and Teddy.

They're right: I've been crazy about Jenny since first grade, and the whole SCHOOL knows that story. But maybe YOU don't. So here it is:

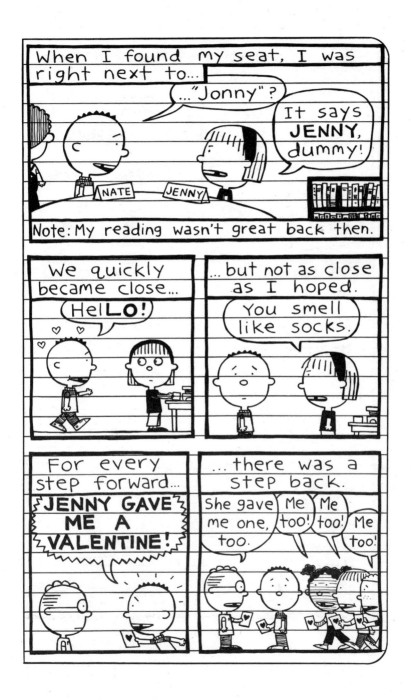

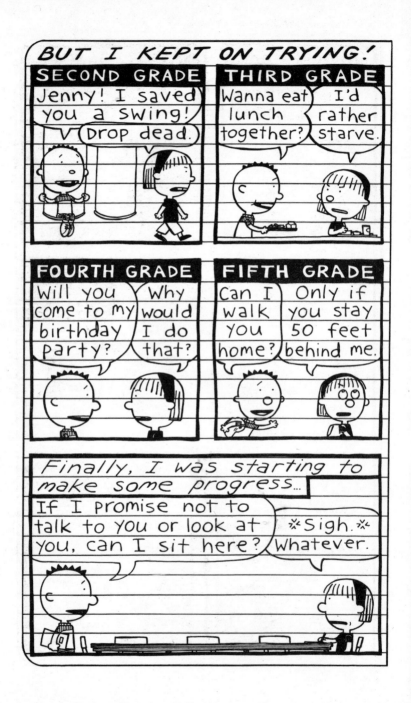

"Until now."

"So you're not in love with Jenny anymore?" Francis sounds stunned. "I don't believe it."

"Believe it," I say simply.

"But WHY, after all this time?" Teddy wonders.

"I don't really know," I admit with a shrug. "But the more I thought about it, the more I realised something."

JENNY **HATES** ME!

"What tipped you off, genius?" Teddy cracks. "The five years of constant rejection?"

Francis chuckles. "She's not very nice to you, that's for sure."

"But RUBY is!" Dee Dee chirps. "You two could become the sixth grade's hot new couple!"

LICK!

SSSSSS!

HEH HEH! HA HA HA HEE HEE

"Cut it out, you guys," I tell them. "I barely even KNOW her yet."

Dee Dee snorts. "If Ruby's in love with Randy. . ."

"Don't tell anybody that I like Ruby. I don't want the whole school yakking about it."

"Ok," Dee Dee grumbles. I can tell she's disappointed. Yakking is her life.

"Come on in, guys," I say when we reach my house. We dump our backpacks by the door and pile into the kitchen.

"Anyone for a snack?" Dad asks. There's an uncomfortable silence.

"Um, I think we're gonna go out and toss the Frisbee around," Francis says politely.

"Yeah, gotta practise for the Mud Bowl!" Teddy adds.

Dad's face lights up. "Ah, the Mud Bowl! I was there for the very first one, you know!"

"Really? Did you play in it, Dad?" I ask.

He smiles. "Not only did I play in the Mud Bowl. . ."

CHAPTER 4

Did Dad just say what I thought he said? This might actually be a story worth HEARING!

"Believe it or not. . ." he begins.

"What were you like back then?" Dee Dee asks in her usual touchy-feely way.

ONE AFTERNOON, WE HAD VISITORS.

IT WAS A BUNCH OF KIDS FROM JEFFERSON MIDDLE SCHOOL – OUR **RIVAL**.

MOVE IT. WE NEED THIS FIELD.

BUT WE WERE HERE **FIRST**!

YEAH, WE'RE PLAYING ULTIMATE!

NO, **WE'RE** PLAYING ULTIMATE!

HEY!

HA HA HAW HAW HA HA

THE JEFFERSON KIDS WERE BIGGER AND STRONGER THAN WE WERE. AND THERE WERE MORE OF THEM, TOO.

THERE WAS NOTHING WE COULD DO.

OR **WAS** THERE?

COME ON, GANG! WE'RE NOT GOING TO TAKE THIS!

WHAT?

MARTY! THOSE GUYS WILL **KILL** US!

I DON'T WANT TO **FIGHT** THEM!

I WANT TO **CHALLENGE** THEM!

I'D NEVER STOOD UP TO A BULLY IN MY LIFE. BUT I JUST COULDN'T LET THOSE JEFFERSON JERKS PUSH US AROUND.

IT WASN'T JUST ABOUT THE FRISBEE. IT WAS FOR **BRAGGING RIGHTS.** P.S. 38 COULD NEVER BEAT JEFFERSON AT **ANYTHING.** THIS WAS OUR CHANCE.

NEWS OF OUR GRUDGE MATCH TRAVELLED FAST.

AT THE PARK THE NEXT AFTERNOON, THERE WERE BIG CROWDS FROM BOTH SCHOOLS.

BUT WOULD THERE BE ANYTHING FOR THEM TO WATCH?

UGH. RAIN.

THE FIELD'S TURNING TO **MUD**!

SHOULD WE CALL IT OFF?

WHAT'S **WRONG**, WIMPS? AFRAID OF GETTING **DIRTY**?

WE'RE NOT AFRAID OF **ANYTHING**!

"Interesting fact about mud," Francis notes. "Over time, it hardens into sedimentary rock formations called lutites!"

"WHO CARES?" I shout. "Dad, what happened in the GAME?"

WHO **WON?**

"I'll show you," answers Dad. He rummages through his desk drawer until he finds what he's looking for, then hands me a yellowing piece of paper. "Here's the article from the school newspaper."

BOBCATS BEAF CAVALIERS IN ULTIMATE "MUD BOWL"

"BEAF"?

I THINK IT'S SUPPOSED TO SAY "BEAT."

EVEN BACK THEN, THE *WEEKLY BUGLE* WAS TOTALLY USELESS.

READ IT, NATE!

BOBCATS BEAF CAVALIERS IN ULTIMATE "MUD BOWL"

NICNACK PARK — In a severe rainstorm yesterday afternoon, a team of P.S. 38 students overpowered Jefferson Middle School, 13-12, in a super-sensational Ultimate Frisbee game. Because of the soggy, sloppy field, players and fans called this colossal contest the "Mud Bowl."

Marty Wright was the star of the game, making the winning catch during overtime.

From midfield, Simon Birch heaved a 50-yard pass toward the Jefferson end zone. It appeared that it could not be caught, but Wright sprinted past his defender and made an amazing diving grab to win the game. Bobcat fans went totally nuts.

The Jefferson team demanded a rematch, so maybe the Mud Bowl will become an annual event!

Marty Wright, grade 6, makes the winning catch in yesterday's "Mud Bowl" Ultimate Frisbee game against Jefferson.

My jaw just about hits the floor. I stare at Dad in total astonishment.

"I can't believe this!" I continue. "I never knew you were actually GOOD at anything!"

He raises an eyebrow. "Thanks SO much."

Dee Dee's bouncing like a basketball on steroids. "You really DID invent the Mud Bowl!"

Dad nods. "It's nice to have been there at the beginning. Just like the article says, it's become a yearly thing."

"You know what ELSE is tradition? LOSING!" Teddy moans. "P.S. 38 may have won the FIRST Mud Bowl . . ."

Dee Dee speaks up. "Well, if we're going to break that losing streak, we'd better do some practising!"

We chuck the Frisbee around until it gets dark, and then the gang takes off. After one of Dad's award-winning dinners (and by the way, "chicken fiesta" isn't as fun as it sounds), I head up to my room. I've got a truckload of homework to do. Eventually.

DRAW DRAW DRAW DRAW DRAW DRAW DRAW DRAW DRAW

MUD BOWL
HIGHLIGHTS!

WHAT A TREMENDOUS CATCH BY NATE WRIGHT!

me

dorky Jefferson kid

cute (but anonymous) spectator

The next morning on the way to school, the guys and I are still talking about the Mud Bowl.

"Here's why we're gonna win," Teddy says. "There have been thirty-seven Mud Bowls, right? That means this NEXT one is number THIRTY-EIGHT!"

P.S. **38** HAS **GOT** TO WIN THE **38**TH MUD BOWL! IT'S **FATE!**

"There's no such thing as fate," Francis declares. "Life is a series of random events."

NOT AS RANDOM AS NATE'S MATHS HOMEWORK!

OH, YOU'RE A **RIOT!**

SHOVE!

"All I'm saying," Francis goes on, "is that some things are totally out of your control."

Speaking of out of control . . . here comes Dee Dee.

"Why are you acting so weird?" I ask her.

"Me?" she says, putting on her Little Miss Angel face. "I'm NOT! All I'm doing is saying hello!"

There's about ten seconds of radio silence until I can spit out a response. "Wh-what?"

Chad beams at me as he ambles off. "You guys will make a GREAT couple!"

A slow burn starts creeping across my cheeks. Who told CHAD that I like Ruby?

As if I didn't know.

"Come with me," I snap, and lead Dee Dee into the library so we can talk in private. Not that "private" is part of Dee Dee's vocabulary. I've been annoyed at her before, but this is fifty levels above that. I'm code-red, fire-alarm, butt-sweat MAD.

"I was chatting with a few kids on the way to school, and it just . . . slipped out!"

"Now EVERYBODY'S gonna know!" I hiss.

Dee Dee shakes her head. "No, they're not! I only told Chad and two girls from the Drama Club!"

I glare at Dee Dee. "Got any other predictions?"

She's at a loss for words. There's a first time for everything.

This is a disaster. All I did was tell my best friends that I've got a crush on Ruby. Now – thanks to Dee Dee's motor mouth – it's practically part of the morning announcements. What was it Francis said about stuff happening that you can't control?

CHAPTER 5

So what's my next step? Do I talk to Ruby and explain why half the school thinks we're an item? Do I try to ignore the whole thing?

I'm still peeved at Dee Dee, but one look at her face tells me something's up. And I'm pretty sure it's not a GOOD something. I whirl around.

I guess I should have expected this. Randy was about to massage my nose with his knuckles yesterday, and it didn't happen. Now he wants to finish what he started.

I wait for one of his cheery one-liners – "Prepare to die" is one of his favourites – but he doesn't say a word. He just stands there, looking at me. He doesn't even seem mad. This isn't like Randy. It's kind of creepy.

Slowly, without ever taking his eyes off me, he reaches down, opens up my backpack, and. . .

In an instant, the air is filled with my stuff: notebooks, homework assignments, drawings, you name it. It looks like a ticker tape parade in here – except nobody's celebrating.

Especially not Mrs Hickson.

Hickey – that's what I call her, but not to her face – is actually pretty nice. But she goes nuclear if somebody drops a gum wrapper on the floor, so you can imagine how thrilled she is with THIS little scene.

"H-hi, Mrs. Hickson," I stutter, hoping to calm her down before she unleashes the hounds.

I turn around to see that Randy's gone. Typical. He NEVER gets into trouble.

And he's going to weasel his way out of this one, too. If I tell Hickey it was Randy who carpet bombed the Book Nook, it'll just give him more incentive to kill me. It makes me sick to let him off the hook, but I have no choice. I've got to confess.

"I was . . . um . . . playing a silly joke on Nate, and it got out of hand," Dee Dee lies as I gape at her in shock.

Hickey's surprised, too. And here's the good news: She suddenly looks less mad. "Well . . . the library is no place for playing jokes, you two," she begins.

Phew. As Hickey walks away, I break into a grateful smile. "Thanks, Dee Dee," I say. "You didn't have to take the blame."

"Yes, I did," she answers matter-of-factly.

"Huh? He was still angry at me for body-slamming him yesterday. How's that YOUR fault?"

"I don't think he's mad about what you did . . ."

"THAT'S the part that's my fault," Dee Dee wails. She's not being a drama queen. She's really upset.

RANDY ONLY KNOWS YOU'VE GOT A CRUSH ON RUBY BECAUSE I **TOLD** PEOPLE!

I can't stay mad at Dee Dee. "It's OK," I tell her. "He was going to hear about it eventually."

LET'S FORGET IT.

That might be easier said than done, though. This changes things. Now I'm not just another kid Randy likes to pick on. I'm COMPETITION. My stomach lurches as I think about it: I've given him a reason to really HATE me.

Pleasant thought, right? It rattles around in my head all morning. It's there during social studies . . .

. . . English . . .

. . . and even art.

My so-called best friends aren't exactly helpful.

TGIL: Thank Goodness It's Lunchtime. That means I can focus on something besides Randy . . .

Remember when I told you how bad Dad's snacks are? Well, his lunches are even WORSE. The only way I can get some actual FOOD in me is to find someone crazy enough to trade their lunch for mine.

TODAY'S LUNCH
with **CHEF DAD!**

● *TREASURE OF THE SEA*

Leftover fish casserole
served cold, soaked
in grease, and lovingly
presented in a leaky
plastic storage container

● *VEGETABLE MEDLEY*

← courgette
← broccoli
← cauliflower
← unknown

Why eat only
ONE soggy, over-
cooked veggie when
you can choke
down **FOUR**?

● *OVERRIPE FRUIT DU JOUR*

Today's special:
a pear, covered with eye-
catching bruises and
seeping puncture marks

● *ORGANIC MUFFIN*

Stir one teaspoon of
water into two cups of
sawdust. Bake until
charred and dry.

EAT HEARTY!

On the plus side, trying to bargain for something edible is a good way to meet new people. On the minus side. . .

See what I'm up against? Glad I could provide a little comic relief while people are stuffing their faces. Meanwhile, I'm starving to death.

It's Kayla MacIntyre. "Me?" I ask uncertainly. She nods, motioning me over to her table.

Uh, no. What I DO know is that there's a bag of barbecue chips sitting right in front of her. Think she'd trade those for a half-rotten pear?

Kayla obviously hasn't noticed that I'm dying of hunger. "I was in the library earlier when Randy made that major mess," she goes on. "I picked up something I think is yours."

"Yup, this is mine," I confirm.

"Well, I absolutely love it," Kayla tells me. "It's funny, and it's clever, too."

"I know everyone thinks the *Bugle* stinks," she continues, reading my mind, "but I'm trying to change that! We need more people to get involved!"

"Involved how?"

"But . . . what would I write about?"

"It wouldn't just be writing," she explains. "You can add drawings, too! That's what'll make it unique!"

IT'LL BE YOUR FUNNY OBSERVATIONS ABOUT P.S. 38! INTERESTING PEOPLE, FASCINATING TRENDS, STUFF LIKE THAT!

THINK OF IT AS A SCHOOL GOSSIP COLUMN!

I flinch. GOSSIP isn't exactly my favourite word since the news that I like Ruby went viral. But if I'm the one writing the column . . .

. . . THEN **I'M** IN CHARGE OF THE GOSSIP!

OK! I'LL DO IT!

SUPER! YOU CAN START WITH OUR NEXT ISSUE!

I zip over to our regular table and tell Francis and Teddy the big news. "Pretty cool, right?" I say after giving them all the details.

"But you're always complaining about how horrible the *Bugle* is," Francis points out.

"What are you going to call it?" Teddy asks.

"I've got the perfect title!" Francis announces.

"Hey, I LIKE that!" I exclaim.

"It's an awesome name," Teddy agrees. "What's going to be the subject of your first column?"

"I'm not sure. Maybe some sort of list."

"I heard you have a really awful lunch today." She giggles.

I respond with what's supposed to be a charming laugh, but it ends up sounding like a bizarre burp-hiccup combo. "Uh . . . yeah," I finally manage to say. "My dad's clueless about lunches."

"Hey, HEY!" Teddy grins after Ruby's out of earshot. "That's a good sign!"

Francis bobs his head in agreement. "Yeah, Nate! She wouldn't give you a soda if she didn't like you!"

My heart pounds. Maybe he's right. I mean, she did sort of make an effort to be nice to me. What does it mean? My brain swirls with thoughts of Ruby as I gaze at the can and pop it open.

CHAPTER 6

Twelve ounces of root beer explode in my face.
I drop the can, but the damage is done: I'm soaked.
Nothing like taking a soda shower in front of a
few hundred people.

Francis and Teddy know not to laugh. They bust my chops about lots of stuff – best friends are SUPPOSED to do that – but they can tell this isn't your everyday awkward moment. This feels. . .

...HORRIBLE.

HERE, TAKE THESE.

Leave it to Francis to have a bunch of extra napkins in his lunch bag. As I mop myself off, Teddy gets right to the point:

A SODA CAN DOESN'T BLOW UP LIKE THAT BY ACCIDENT.

I nod miserably. "I know."

"What are you saying?" Francis asks.

Teddy shrugs. "I'm saying that Ruby must have booby-trapped the can."

"What? That makes no SENSE!" Francis sputters.

"Well . . . we THOUGHT she did," I mutter. My stomach twists into a clammy knot. I wish I could disappear.

Francis shakes his head. "This is illogical," he says like he's analysing a science project gone wrong. "Why would Ruby act so nice . . ."

"I saw the whole thing," Dee Dee announces. "It wasn't Ruby's fault!"

I feel a jolt of energy go through me. So this was all RANDY'S doing! I should've known. Ruby wouldn't punk me like that. Dee Dee's detective work just proved it.

"You saw Randy rig the can to explode! Why didn't you stop Ruby from giving it to Nate?"

Exactly! If Dee Dee had said something, I could have avoided getting a root beer facial.

"I TRIED!" Dee Dee insists. "I was about to run over here . . ."

Ah-ha. Mrs Colletti's the lunch aide, and when she tells you to clean up, you clean up. She's sort of like Coach John, but with hairier legs.

"We'll do it, Nate," Dee Dee offers.

Good idea. Francis's napkins helped, but I'm still wearing about half a can of root beer. And it's starting to dry into a sticky film. I feel like a candy cane that's been licked all over.

I leave the cafetorium, head for the bathroom . . .

. . . and stumble into a meeting of the Hate Nate Club. President Randy Betancourt presiding.

"As if you didn't know," I growl.

"Sorry," Randy says with a smirk, "but I have no idea what you're talking about." His gruesome groupies snicker on cue.

A look of uncertainty flickers across his face, but he recovers quickly. Randy turns to the rest of his gang. "Get lost, you guys," he barks.

The door closes behind them. One second later, Randy's in my face. "You keep your mouth shut about Ruby," he snarls.

I'm pretty sure he's about to smack me, but at this point I'm more mad than scared. I take a deep breath. "I just think it's a weird way to show a girl you like her . . ."

Randy's eyes flash angrily, and he bares his teeth like a rabid dog. Uh, remember that "more mad than scared" comment? Forget that – I'm terrified.

Then in walks the sheriff.

Just so you know: You're witnessing a miracle. Principal Nichols NEVER shows up when I need him. His specialty is showing up when I DON'T.

"I'll ask again," the Big Guy thunders. "What's going on here?"

Before I can answer, Randy shifts smoothly into his Mr Innocent act. "I was just using the bathroom," he begins.

THEN **NATE** BARGED IN AND STARTED **YELLING** AT ME!

"Yes," Principal Nichols agrees as he strokes his chin. "I DID hear shouting."

EXPLAIN YOURSELF, NATE!

WHY WERE YOU YELLING AT RANDY?

Do I really need to tell you what happens next? Randy waltzes back to his posse of pinheads, while Principal Nichols gives me a five-star butt chewing.

"Are you sending me to detention?" I ask.

He ushers me into the hallway. "I don't think detention's the answer in this case. It doesn't seem to have kept you from picking on Randy."

Yes, OK, we've clashed . . . BECAUSE HE'S A PSYCHO! Is it just P.S. 38, or do all schools have principals this clueless?

"If you can't stay out of Randy's way, Nate . . ."

Gulp. Wonder what THAT meant. I'm no fan of detention, but it's probably a cakewalk compared to anything Nichols could come up with.

My thoughts turn back to Randy. This is totally his fault. What a . . .

I'm going with "all of the above." And if I come up with any more nasty names – dirtbag, anyone? – I'll add them to the list.

The rest of the day isn't much fun. Randy's in all my afternoon classes, so there's no way to avoid him. He's still feeling pretty good about himself thanks to that soda can episode.

He's trying to tick me off – that's obvious. He's hoping I'll snap, have some mega meltdown, and get in more trouble. But I'm not going to give him what he wants.

No, I'm not gonna get mad.

CHAPTER 7

After school, I head straight home. No listening to Mrs Czerwicki complain about her chronic foot fungus. No practising for the Mud Bowl.

Correction: I WILL be on a mission once Dad moves his double-wide out of the way.

Hmm. Dad's not wearing his usual clothes from the Big & Tacky rack at Bargain Barn. "How come you're all dressed up?" I ask.

"Oh, it's just a work thing," he says. "No big deal."

"How about bringing home a pizza, Dad?" I suggest. "We haven't eaten takeout in—"

He cuts me off. "No takeout.

I'll make dinner for us later."

Oh, goody. I can't wait.

(Not-so-fun fact: Baloney bubbles are just plain old fried baloney. Dad started calling it that when we were little to make it sound less pathetic.)

"That's strange," Ellen says after Dad leaves.

True. Dad's got one of those jobs where he works from home half the time, and he dresses pretty casual around the house. I mean, he spent yesterday in a pair of boxers and a BALD IS

BEAUTIFUL T-shirt. So it's weird to see him decked out like your friendly neighbourhood mannequin.

FYI, Gordie is Ellen's boyfriend. And, yes, that DOES call his mental stability into question. But you can tell he's got all his marbles because he works at Klassic Komix in the mall. Comics Store Employee is # 5 on my list of all-time dream jobs. Here are the top four:

"I wish you DID have Gordie's job," Ellen grouses. "It's our six-month anniversary this weekend, and he has to WORK."

"Wow," I say. "You guys have been going out for six months?" Not that I really care, but give me a minute here. This is research.

Ellen's eyes light up, and she flashes one of her obnoxious grins. "You LIKE somebody!"

"Shut up," I snap, my cheeks burning. "I was just making conversation, that's all. Never mind."

"Oh, come on, Romeo. Who's the unlucky girl? Are you still hung up on what's her face? Jenny?"

Ellen scowls. "Hey, don't bite MY head off! YOU'RE the one who brought it up!"

She stalks off, which is fine with me. Big sisters are such a waste of oxygen. Meanwhile, I'm still pretty confused about this whole Ruby situation.

I know I like her.	But does she like me? . . .	Or does she like Randy?

Ugh. Suddenly, a picture of Randy and Ruby smooching in slow motion flashes through my mind. It's sickening, but it's just what I needed. It helps me focus on the job at hand:

The next morning before homeroom, I find Kayla
in the library.

. . . And wait. And wait some more. Remember, this
is the (ha-ha) *"Weekly"* Bugle. It's actually almost
TWO weeks before the next issue – featuring the
awesome debut of yours truly – finally comes out.

READ ALL ABOUT IT!

Let's skip Gina's thrilling profile of Mrs Czerwicki (with the headline DETENTION MONITOR KEEPS WORKING DESPITE MYSTERIOUS SKIN RASH) and go straight to the main attraction:

VOL. 1 ★ ★ ★ ★ ★ ★ NO. 1

BUGLE BLASTS!

By NATE WRIGHT

"All the news that fits... I print!"

Greetings, readers! Welcome to a NEW column that will keep you PLUGGED IN to all the latest news at P.S. 38! Let's get started with an exclusive...

ROMANCE REPORT!

Derek and Melissa have eaten lunch together for three straight days! Everyone's wondering: Is LOVE on the menu?

TELLTALE SIGN: THEY'RE FEEDING EACH OTHER!

A loud argument between **Austin and Lucy** in the Book Nook meant two things:

Overheard on Monday near the science lab: **Bethany** drops an f-bomb on **Leo**.

Overheard on Tuesday by the trophy case: Leo bounces back quickly.

TIME FOR...
TEACHER TIDBITS!

How well do **YOU** know the members of P.S. 38's faculty? These facts will **AMAZE** you!

A certain social studies teacher loves horseback riding (which leads to the question: Is the horse OK?).

This fossilised science instructor once tried a perm (back when he actually had hair). Talk about a failed experiment!

A psychotic employee of the P.E. department is currently undergoing treatment for "chronic flatulence".

And now it's time to play...

GUESS THAT GUY!

USE THESE FIVE CLUES TO UNMASK THE MYSTERY STUDENT!

1. He's not the sharpest tool in the shed.

2. His nose is HUMONGOUS.

3. He has really, really bad breath.

4. He's always picking on smaller kids.

⑤ He is a TOTAL WEASEL!

BONUS CLUE: Our mystery student's name rhymes with "Shmandy Shmetancourt."

★ ★ ★ ★ ★ ★ ★

That's all for this time! Read the next edition of the *Weekly Bugle* for another instalment of **BUGLE BLASTS!**

  !!

I can tell right away I've got a hit on my hands.

The hallways are packed with kids reading the *Bugle*, and they're all cracking up. I'm getting high fives all over the place. Even from Leo.

Did you hear that? That's the best part: People love that I called out Randy. The principal might not realise what he's really like, but the KIDS do.

I'm not stupid. I knew that as soon as Randy saw "Bugle Blasts," he'd go completely scooters. But I guess I just reached the end of my rope. He's been doing the same garbage for so long – and NEVER taking the blame for it – that I finally decided to fight back. (Of course, I was hoping to avoid any actual fighting. No such luck.)

Principal Nichols shows up about two minutes too late, as usual. And right away, Randy launches into his "I'm a victim" act.

It's Ms Dempsey, the school counsellor. Without taking her eyes off Randy, she leans in close to the principal and whispers something. He listens, nods a couple times, and turns toward us.

Five minutes later, the Big Guy is parked behind his desk, giving us both the evil eye.

Randy shoots me a murderous glance before mumbling, "I jumped on him."

"Mm-hmm. Yes, that confirms what Ms Dempsey told me," Principal Nichols says. "And Nate . . . what do you suppose made Randy angry enough to assault you that way?"

There's a copy of the *Weekly Bugle* right there on his desk. It's no use playing dumb.

I... UH... MADE FUN OF HIM IN THE NEWSPAPER.

"In other words," Principal Nichols concludes, "BOTH of you bear some responsibility for this problem."

...WHICH MEANS YOU SHOULD BOTH PLAY A PART IN THE **SOLUTION!**

Uh, what's THAT supposed to mean? Please tell me he's not talking about one of those stupid "team building" activities they make us do every year on the first day of school.

"Ms Dempsey has suggested that the two of you try peer counselling," Principal Nichols tells us.

"Sometimes a fellow STUDENT is better at solving these sorts of disputes than an ADULT is," he explains.

Randy looks as thrilled about this as I am. "You mean we have to tell some student shrink why we hate each other?"

Principal Nichols smiles. Or grimaces. Hard to tell which. "Something like that," he says.

He presses the intercom button on his desk. "Mrs Shipulski," he says . . .

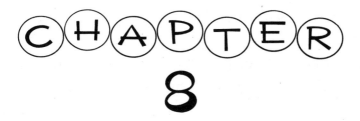

CHAPTER 8

Please let it be someone good. Please let it be someone good. Please let it—

Principal Nichols glares at me, and there's an edge to his voice. "Is something WRONG, Nate?"

Wrong? Oh, you mean like finding out my peer counsellor is the BRIDE OF FRANKENSTEIN??

"The three of you will meet after school today to begin a dialogue," he explains.

A dialogue. Great. I can hear it now:

"Gina's gone through the counsellor training,"
Principal Nichols says. "SHE'LL be in charge."

Ugh. This is awful. I've had bad dreams before . . .

. . . But this is no dream. It's as real as a boot in
the backside. And just as enjoyable.

Principal Nichols wraps up his instructions. Gina and Randy walk out, but before I can make my escape, the Big Guy pounces.

JUST A MOMENT, NATE. WE'RE NOT QUITE DONE.

I swallow hard. NOW what?

He points to his copy of the *Bugle*. "In your column, you did more than take potshots at Randy. You also poked fun at some TEACHERS in a way that crossed the line."

My mouth goes dry. "Well . . . yeah . . . but I didn't mention any of them by NAME!"

BUT YOU WERE PRETTY CLEAR ABOUT WHICH TEACHERS YOU MEANT!...

...WEREN'T YOU?

"Uh-huh," I murmur, looking at the floor.

There's a long silence. "Nate, you're a talented cartoonist. It's wonderful that you're so skilled at using humour to express yourself."

Wait for it. Here it comes. He's going to suspend me, or put me on probation, or . . .

My head's spinning as I shuffle out. I've got the usual queasiness I always feel after a shame-a-thon with the principal . . .

. . . But I have to admit, I'm still kind of pumped by all the rave reviews for "Bugle Blasts." If everyone keeps telling me how awesome I am . . .

Francis scowls. "We just heard you've got peer counselling after school."

"Don't remind me," I grumble.

Oops. I forgot about Mud Bowl practice.

"Not only that," Teddy adds, "you're missing a chance to hang out with your DREAM GIRL."

My stomach sinks like a brick in a bathtub. I'm starting to feel like the dope who guesses wrong on one of those TV game shows.

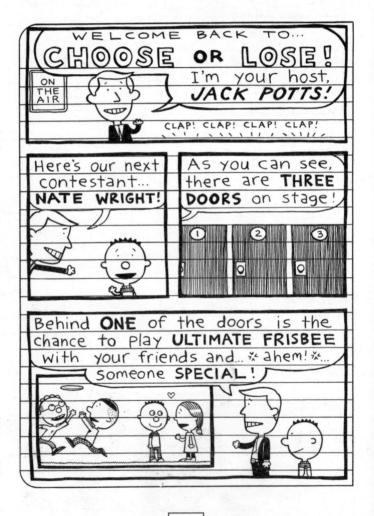

I try not to think about it. But there's a clock in every classroom, and each tick brings me one second closer to couples therapy with Gina and Randy. It's a countdown to misery, until . . .

She looks puzzled. "But I thought the two of you were FRIENDS. Remember that day I saw you and him wrestling, and—"

". . . And Randy said we were just messing around?" I say. "Yeah, I remember. But we're not friends."

I hesitate. I don't really want to tell Ruby about all the times Randy's punked me over the years. That'll make me sound like Wee Willie Weenie.

Instead, I pull a copy of the newspaper out of my notebook and flip it open to "Bugle Blasts."

I roll my eyes. "He's ALWAYS mad at me. But this definitely kicked it up a notch."

Ruby shrugs. "He never seems mad around ME."

Whoa, what's THAT supposed to mean? Is she sending me some sort of coded message?

Rats. So much for THAT conversation. It's time for science, and Ruby and I are stuck at different lab stations for the whole period. I try to catch up with her after class, but . . .

Remember what Principal Nichols said? Gina's in charge. And she knows it, too. Gag me.

Fine. But I'm not gonna be EARLY, either. As I stroll leisurely downstairs, I spot the Mud Bowl team heading off to practise.

They don't answer. Guess they couldn't hear me. Trying to ignore the hollow feeling in my chest, I slip into Ms Dempsey's office. Gina and Randy are already there.

"This is stupid," Randy mutters under his breath. For once, he and I agree about something.

Wait, did he say . . . MORE counselling?

Gina ignores him. "Let's get started," she says briskly, handing us paper and pencil. "I'd like each of you to record your impressions of one another."

"Impressions?" Randy repeats. (Did I mention he's not very bright?)

Sounds easy enough, right? Well, not really. It's no problem listing all the bad stuff . . .

. . . but how am I supposed to write about Randy's GOOD qualities?

"Uh . . . hold it," I protest. "I'm not done."

"Sorry," Gina says, managing to sound not sorry at all. "We're on a schedule."

She collects our sheets and examines them briefly.

"Now you'll exchange papers," Gina announces. She hands mine to Randy, and his to me.

CHAPTER 9

As I stare at the page, the blood starts pounding in my head. I can't believe what I'm seeing.

"You look upset," Gina says, a smirk tugging at the corners of her mouth. "Is something wrong?"

"YES, something's wrong! . . ."

"Is this a joke?" I snarl at Randy.

He grins. "You tell me."

"I don't think it's funny."

His face twists into a mask of bogus concern.

I search for a snappy comeback but can't find one.

Randy points at the drawing in my hand. "What if I put that cartoon in the *Bugle* for the whole school to see? And what if I gave it a clever TITLE? . . ."

This isn't fair. He's acting like I drew "Guess That Guy" for no reason. "I only did that because you were such a jerk," I protest.

"I'm a jerk to you because you're a jerk to me."

"We're getting nowhere," Gina declares in full know-it-all mode. "Let's try something else."

So we do. We try EVERYTHING:

Nothing works. By the end of the session, two things are obvious: (1) I can't believe I missed Mud Bowl practice for this, and (2) Randy and I still hate each other.

No kidding, genius. The whole sixth grade is going to the science museum. What does that have to do with peer counselling?

"Mr Galvin always makes kids pair up on field trips," Gina explains.

Randy's as horrified as I am, but what can we do? Thanks to Principal Nichols, Gina's calling all the shots.

I just remembered: I haven't asked Dad to sign the permission slip for the field trip yet. Do I want to be Randy's partner? No. But would I rather skip the field trip altogether? No WAY. Staying at school during field trips means spending the day with Mrs Jones, aka Mrs Drones.

I can see the headline now: STUDENT BORED TO
DEATH BY CLASSROOM AIDE. I make sure the
permission slip's in my backpack, and start home.

"Uh, hold it," I say, pointing to a blank space. "You
need to fill in your phone number at work."

"I wrote down our home phone," he says.

"Yeah, but the field trip is on a Wednesday, and you always go to the office on Wednesdays, so . . ."

My voice trails off as I look at Dad. He's got an expression on his face that's . . . well, I don't know WHAT it is. I've never seen that face before.

Family meetings are either really good or really bad . . . and Dad wasn't smiling back there. As I enter Ellen's room, an alien world of strawberry lip gloss and stuffed panda bears,

I feel a cold knot forming in my belly. Something's not right.

"Sit down," Dad says, motioning to the sofa.

Ellen sits; I don't. I'm too nervous.

Dad clears his throat. "I've been trying to figure out how to say this, but there's no easy way. So

I'll just go ahead and tell you."

Wait, this doesn't add up. "Last MONTH?" I say. "But we saw you going to the office just a couple WEEKS ago!"

"I've been going to LOTS of interviews lately," Dad continues, "trying to find a job locally. Staying here would be my first choice."

"First choice?" Ellen echoes, her voice sounding thin. "W-what's the SECOND choice?"

Dad takes a deep breath. "Well, there IS a company that wants to hire me . . ."

...IN **CALIFORNIA.**

It feels like all the air's left the room.

"California?" I repeat.

"So . . . we're moving?" Ellen whispers.

Dad smiles. Saddest smile ever. "Unless I can find work here in town . . ."

YES, HONEY. I'M AFRAID WE'LL HAVE TO.

Ellen turns and runs out of the room. I hear her feet thundering up the stairs, her door slamming, the floor creaking as she throws herself onto her bed. I can tell she's crying into her pillow, because I recognise the sound. It's like a humpback whale having an asthma attack.

I look at Dad. "You could still find a job around here, though. Right? I mean . . ."

"I suppose so," he answers quietly. Then his voice takes a U-turn, suddenly all fake cheer and confidence. "We'll be OK. No matter what happens, I promise it'll be OK."

He goes into the kitchen to burn dinner. I wander outside and collapse on the lawn. Did you hear how he put that? NO MATTER WHAT HAPPENS.

"Hey, tell us about peer counselling!" Dee Dee says as the gang flops down beside me.

"Yeah, give us details!" Teddy chimes in.

"It was fine," I mumble.

I shake my head. "Nothing. Everything's good."

I know what you're thinking: These are my best friends, so why not tell them I might be moving three thousand miles away? I can't really explain it. I know they'd all try to make me feel better . . .

California is FASCINATING, meteorologically speaking! The average temperature is...	In a few years, after I become a STAR in Hollywood, we can be NEIGHBOURS!!	Here's a JOKE that'll cheer you up! A duck walks into a barber shop...

. . . but what if I'm not READY to feel better? I only found out about this California plan two minutes ago. The last thing I want to do is TALK about it. So I won't. I'll change the subject.

"How was practise?" I ask.

"She said you're really nice, and she loves your sense of humour! She thinks you're cute, too! She even likes your HAIR!"

"So this girl is literally one in a million," Teddy cracks. Everyone laughs. Except me.

I guess this is why people say timing is everything. Yesterday I would have been ecstatic to learn that Ruby likes me. But now . . .

Francis elbows me in the ribs. "Well? When are you going to ask her out?"

I get to my feet. "I'm not."

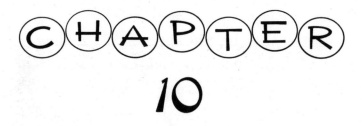

CHAPTER 10

"What's WITH you lately, Nate?" Francis asks as we arrive at school on Wednesday morning.

WHY ARE YOU BEING SUCH A SAD SACK?

ISN'T IT OBVIOUS? TODAY'S THE FIELD TRIP!

NATE HAS TO BE PARTNERS WITH RANDY!

Dee Dee's half right. The field trip IS today, but Randy's barely a blip on my radar screen. Besides, soon he'll be out of my life forever.

I still haven't told anybody I'm moving. I guess I'm hoping for a last-minute miracle. But Dad's only got one more job interview lined up. If that doesn't pan out . . .

I spot Ruby up ahead as we board the bus, and my insides go into a death spiral. Obviously, I was lying when I said I'd changed my mind about her.

I still think she's awesome. But what's the point of telling her how I feel . . .

It's a twenty-minute ride to the museum, but thanks to Mary Ellen Popowski, it seems longer.

Finally, we pull up to the entrance and stream into the lobby. And even though I'm in a cruddy mood, this DOES look like a cool place to roam around . . .

. . . until Captain Killjoy drops a turd in the punch bowl. "No goofing off," Mr Galvin announces. "We're here to LEARN." We all groan. Why are teachers always so hung up on LEARNING stuff?

"You heard the man," Gina insists, steering me toward Randy.

TIME FOR SOME *TEAMWORK!*

He and I exchange angry glares. "Let's get this over with," he grunts. "Where do we go first?"

I glance at the booklet. "The entomology exhibit. Entomology is the study of insects."

"I know what entomology is," Randy gripes. "I'm not an idiot."

"You handle that part," he tells me.

That's so Randy – trying to weasel out of doing any work. "Why ME? Why don't YOU do it?"

Wait, did that sound like I was thanking Randy for calling me a pinhead? Because that's not what I meant. I think I was just in shock that he paid me a compliment . . . sort of.

He scans the booklet. "There's a jillion questions in here. If we split up, it'll go faster."

He wanders off, and I take the elevator up to Entomology. I find the titan beetle in a glass display case and start drawing.

Hey, this gives me an idea for my next "Ultra-Nate" comic:

The elevator opens, and a bunch of students pour out. They're not from P.S. 38, though, so I don't pay much attention as the group files past. Then something grabs my attention.

 One of the kids is wearing a familiar jacket. Purple and gold, with a big *J* on the chest.

Ugh. It figures. We go on one stinkin' field trip a year, and the Evil Empire is here on the same day. I give them a subtle (but still devastating) hairy eyeball as they file past. They're too busy being obnoxious to notice. I turn back to my drawing.

Uh-oh. It's Nolan.

We've crossed paths before. During the winter, when P.S. 38 had to relocate to Jefferson for a while, he wasn't exactly driving the welcome wagon. Now here he is again, as friendly as ever.

"Give that back," I demand.

He ignores me and stuffs it in his pocket.

"So what if I am?" I answer, trying not to focus on the fact that he's about a foot taller than me.

He pokes me hard in the chest. "We're going to DESTROY you."

His face darkens. "You're going down," he hisses. "Not just in the Mud Bowl . . ."

"Why should I?" Nolan sneers.

"Do the maths," Randy says matter-of-factly. "There's only one of you . . ."

OK, am I the only one who thinks this is bizarre? Randy Betancourt, P.S. 38's poster boy for bullying, IS STICKING UP FOR ME! And you know what? It's working. Nolan starts to inch away.

"Two against one," he sputters. "Real fair."

"Huh," I say, finding my voice again. "Funny how you're worried about fairness all of a sudden."

Nolan disappears. I knock the dust off my clothes and turn to Randy.

He waves me away impatiently. "Whatever. The guy's a scumbag."

I spot my pencil on the floor and, with a groan, remember the booklet.

Randy slumps onto a nearby bench. "So we'll get an F. Great. That's just what I need."

"Counsellor? You mean Ms Dempsey?"

His cheeks turn a blotchy pink. "Never mind. It's none of your business."

"How come you go to counselling?"

His voice is expressionless. "Because my grades stink. And my parents are getting a divorce. So there. Shut up."

Randy looks miserable. I should probably keep quiet, but I feel something working its way from my lungs to my throat to my mouth. I can't stop it. All of a sudden, my voice has a mind of its own.

I THINK I'M MOVING TO CALIFORNIA.

Randy can't hide his surprise. "You are?"

I nod. "My father says it's not a hundred per cent . . ."

179

He frowns. "It's no fun,
I can tell you that."

"Huh? When have
YOU ever moved?"

"I move every WEEK," he says, spitting out the
words as he rises from the bench.

I'm no counsellor, but something tells me now's a
good time to leave Randy alone. I zip down to the
lobby, and it turns out Mr Galvin DOES have some
extra booklets. I have to run around like my undies
are on fire, but I finish page one just before it's

time to leave. So Randy and I won't get an F. Or an A, either, based on this beetle drawing.

Mary Ellen tries to get another round of campfire songs going during the trip back to school, but I'm focusing on the Mud Bowl. It could be the last game I ever play as a Bobcat, and. . .

I shake my head. "No, but last year they beat us twenty-five to six, remember?"

"And they were big," Teddy adds. "They had some kids who could throw that disk a MILE."

"That's what OUR team needs," I say as the bus slows to a stop in front of P.S. 38.

"You don't have peer counselling again, do you?" Teddy asks me.

A few minutes later, the battlin' Bobcats are out on the soccer field: Francis, Teddy, Dee Dee, Chad . . .

. . . and Ruby. And me. Awkward.

Yeah, really fun. Except for the part where Nolan tossed me around like a sock puppet.

Teddy launches a disk in my direction, but the wind catches it. It banks to the left, farther and farther off course, until . . .

With an expert flick of the wrist, Randy sends the disk my way. It doesn't wobble. It doesn't curve. I don't even have to move. I just hold up my hands.

It's a perfect throw. PERFECT. It's exactly the kind of throw Jefferson can make. And we can't.

I don't hesitate. I sprint over to Randy. I can't believe I'm asking this, but . . .

$\bigcirc\!\!H\!\!A\!\!P\!\!T\!\!E\!\!R$

11

"Let me get this straight," Francis whispers.

"WHY?" Teddy chimes in. "You spend a couple hours with the guy on a field trip, and all of a sudden you're best friends?"

"We're not best friends," I assure them.

On the Scept-O-Meter, they're giving me looks that are somewhere between *I'm not so sure about this* and *You're out of your mind*. But finally, Francis caves. "Well," he sighs. "I guess we can try it."

Just your everyday epic plot twist. A week ago, Randy wanted to pound my face in. Now we're teammates. It's kind of freaky. But asking him to join us seems like a win-win. He gets to take his mind off his parents' divorce, and we increase our chances of winning the Mud Bowl.

That's assuming we even GET to the Mud Bowl. We have to survive PRACTISE first. After just a few minutes, I can see that having Randy on the team will definitely take some getting used to.

Francis and I are taking a water break when Dee Dee joins us. "I couldn't help but notice that Randy's making all his most acrobatic plays right in front of Ruby," she mutters under her breath.

"Yeah," I grumble. "He sure is."

"Well, what do YOU care?" Francis asks me.

"Oh . . . uh . . . I don't," I stammer. "I was just . . . you know . . . watching Randy do his thing."

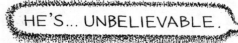

HE'S... UNBELIEVABLE.

Francis nods. "He really IS a good player. It might take him a while to fit in, but I think you were right. . ."

HE'LL HELP US AGAINST JEFFERSON!

C'MON, LET'S GET BACK OUT THERE!

UH... NATE AND I WILL BE ALONG IN A SECOND.

Francis trots onto the field. Dee Dee waits until he's out of earshot. "You can fool everyone else," she declares, poking my shoulder. "But not me."

"What are you talking about?"

Dramatic sigh. Huge eye roll. "I'm talking about this ACT you're putting on."

I try to avoid eye contact. Dee Dee's not easy to lie to. "I have my reasons."

"But if you both like each other, why—"

"Just leave it alone, OK?"

Whoops. Probably shouldn't have gone there. Dee Dee pounces like Chad on a cupcake.

"Next week? What do you mean? What's happening next week?"

She's not going to let this go. And you know what? I'm not sure I WANT her to. I've been keeping this bottled up long enough. Maybe it's time to finally say something.

I take a deep breath.

Huh. What's Dad doing here? He NEVER picks me up at school. "Um . . . I'll be right back," I tell Dee Dee as I jog over to the car.

Dad greets me with a smile. "How was the science museum?" he asks.

"Fine," I answer. But, come on – he didn't drive here to quiz me about a stinkin' field trip.

A sickening layer of dread settles over me. So it's official. My mouth goes bone-dry as I confirm the horrible news. "The . . . the one in California?"

HERE... IN... TOWN!

Dad's still talking. "Remember how I still had one interview left? Well, it was this morning, and—"

"So we're not moving?" Sorry, I know it's rude to interrupt. But I've got to hear Dad say it. Just to be sure.

He chuckles. "We're not moving."

194

WOO HOO HOO HOOOOOOOOOOoo

I'M NOT MOVING!!

WHAM!

I... AM... NOT... MOVING!!

THAT'S GREAT. C-CAN'T BREATHE.

"I didn't know you WERE moving," Chad says.

"I only THOUGHT I was," I jabber happily. The words tumble out of me as I relate the whole story.

For a second – don't laugh! – I think I might faint. My legs feel like they're made of pudding. I lift a hand to my cheek and hold it there as my mind reels in happy surprise. RUBY JUST KISSED ME! Cue the fireworks, people. This is incredible.

"Mind if I sit here?"

Randy shrugs. "It's a free country."

I flop down on the grass. There's a long silence.
When he speaks again, he can't hide the bitterness
in his voice.

"I guess so," I answer.

"Are you going to put that in your gossip column?"

"READ ALL ABOUT IT! NATE AND RUBY ARE A COUPLE! AND RANDY'S A *LOSER!*"

"No," I tell him. "I won't do that."

"What's stopping you?"

Good question. What IS stopping me? Maybe I'm figuring out that there's some stuff you just don't gossip about. Or I could be remembering how Randy saved me from Nolan at the museum. Maybe I just feel sorry for the guy. I don't know.

"We're teammates now," I say finally.

He snorts. "Some teammates. We hate each other."

"Not as much as we used to," I remind him.

He nods, a grin slowly creasing his face. "Yeah, I'd like that. But they'll be tough to beat."

"Thunder," Randy says. He squints up at the dark clouds rolling across the sky. "It's going to rain."

"Good. Bring it on."

CHAPTER

12

The Mud Bowl's not like a holiday that happens at the same time every year. Tradition says it HAS to be played in the rain. So you wait for a real flash flood to come along. And then . . .

Let's set the scene, sports fans: It's Friday afternoon. It's been raining for forty-eight hours. And the thirty-eighth annual Mud Bowl is about to begin.

"Wow. They're BIG," Ruby says as we take our positions. She's right. Did Jefferson's whole sixth grade class stay back a year? Or three?

Francis claps his hands. "Let's go over defensive assignments. Dee Dee, you cover the girl with the headband. Teddy, take the kid with the buzz cut."

I shoot my hand up. "I'll take Nolan."

Francis fidgets. "OK," he says after a long pause. "We'll see how it goes."

Randy heaves the disk toward Jefferson's end zone, and the game's on.

If you've ever played Ultimate, you know it's pretty simple. The goal is to score points, and you do that by getting the disk into the other team's end zone. But you can't RUN with the disk. You can only score by throwing and catching . . .

. . . which Jefferson's really, really good at.

Cavaliers 1, Bobcats 0. Yikes. That was fast.

Dee Dee leaps around like a deranged cheerleader. "Don't worry, gang! We'll get 'em back!"

But we don't. On our first possession, Randy lofts a high floater in Ruby's direction, and. . .

That makes it 2–0. And minutes later, after Nolan snags another scoring pass high above my head, it's 3–zip. This is a disaster.

Francis turns to the referee. "Time out."

We huddle up. "Let's change a few things," he announces, "before they blow us off the field."

Francis nods. "I know. And he's scored three straight times."

Good thing my face is so dirty. I'm pretty sure that underneath all this mud, my cheeks are turning fire-engine red.

"It's OK, Nate," Ruby says.

"Their whole TEAM'S too tall," Teddy points out.

"Exactly," Francis agrees.

Randy's expression sours. "I thought you guys LIKED the way I throw!"

"We DO . . . but so does Jefferson!"

The game starts up again – with Randy guarding Nolan. I'm still bummed out about getting reassigned, but it doesn't take long to see that Francis was right. Randy's big enough to slow down Nolan's scoring streak. . .

. . . and the mighty Bobcats start chipping away at Jefferson's lead.

They're still taller than we are. (Duh.) But we're quicker and craftier. As the game moves into the second half, we start to creep up on them.

There's just one problem . . . and it's a whopper.

I see what's going on here. And unless I say something, I don't think we can win this game.

I signal to the ref. "Time out."

"Hear that, Bobcats? Huddle up!" Francis calls.

"No," I tell him. "This isn't a team thing."

IT'S BETWEEN ME AND RANDY.

Randy gives me a quizzical glance as we slosh over to the sideline. This could be awkward. I guess the best thing to do is just come out and say it.

YOU'RE THROWING IT TO RUBY A LOT.

His shoulders stiffen. "So? She's a good player."

"Yeah," I explain. "But you're passing to her when she's not even OPEN."

 Randy doesn't say anything. But he doesn't slug me, either. Might as well plough ahead.

"Listen, I get it," I say quietly. "You like her."

There's a long pause. He kicks at the ground. "What do YOU know about it? You've never liked someone who didn't like you back."

I gape at him in disbelief. "Uh, HELLO?"

Randy's eyes look a little watery, but that might be because we're standing in the middle of a monsoon. "Whatever," he mutters. "I guess it was crazy, me thinking that Ruby might like me."

"No, it wasn't," I say. "Me trying to play defence against Nolan – THAT was crazy."

The game rolls on. Twice we get to within a point of Jefferson, and twice we fall back. Then, with

less than two minutes to go, Francis makes a sliding catch in the end zone. Tie game, 19–19!

But hold everything. Jefferson gets the disk and starts to motor down the field as time bleeds off the clock. If they score, we might not have time for a comeback. With twenty seconds left, they flip a pass toward the flag . . .

. . . AND NOLAN DROPS IT!!

Randy takes over. He snatches up the disk and turns to me. "GO!" he shouts.

I sprint up the swampy field with Nolan on my heels. We can win this game right now – IF Randy can chuck that disk all the way to the end zone . . .

As I look over my shoulder, I can barely see Randy fifty yards behind me, stepping into his throw with a loud grunt. I peer through the sheets of swirling rain until . . . yes! I spot the disk curving in a wobbly arc toward the corner flag.

BETANCOURT & WRIGHT TEAM UP TO WIN FIRST MUP BOWL IN 37 YEARS

Nicnack Park—For the first few minutes of Friday's epic Mud Bowl against Jefferson Middle School, things didn't look so good for the team from P.S. 38. They fell behind 3–0, and the Cavaliers seemed unbeatable. But after Francis Pope called a time-out for a pep talk, our Bobcats came "roaring" back! (Get it?)

The good guys finally managed to tie the score at 19 with two minutes left, then got lucky when a player from Jefferson dropped a pass. (Ha!)

That's when Randy Betancourt made one of the most incredible throws in sports history, heaving the disk the length of the field to the speedster Nate Wright, who caught it as time ran out.

Speaking of TIME, Jefferson will have a whole twelve MONTHS to lick its wounds! Better luck next year, Cavaliers!

Nate Wright and Randy Betancourt celebrate the victory.

It's been five days since the game, and the whole school's still buzzing about it – especially now that the *Bugle*'s just come out.

"A picture of Nate and Randy hugging," Dee Dee exclaims. "Now that's what I call DRAMA!"

Ruby flips through the newspaper, wearing a puzzled look. "Nate, where's 'Bugle Blasts'?"

"Aw," says Chad as we file into the social studies room. "Now there won't be anything fun to read."

"Oh, yes there will," I announce, pulling a wad of comics from my notebook. "Remember, I'm still the greatest cartoonist at P.S. 38! And this new 'Mrs Godzilla' adventure is my best ever!"

END

TWO COMICS IN ONE!!
DOCTOR CESSPOOL & Dan Cupid, LOVE CONSULTANT!
One day in the ER...
Greetings, Doc!
Who are YOU?
DAN CUPID! Here on a mission of ROMANCE!
I'm going to hook you up with your nurse, MAUREEN BIOLOGY!
!
How'd you know I like her?
Dude, it's my JOB!
I can SENSE these things!
SPROING!
Doctor, suddenly I have a headache.
Your instincts are good, but your aim is lousy.
END